ONCOLOGIE

Sous la direction de **Joe-Elie Salem**

ONCOLOGIE

en *1 000 QROC*

Antoine **Schernberg**

ISBN 978-2-7298-8415-4
© Ellipses Édition Marketing S.A., 2014
    32, rue Bargue 75740 Paris cedex 15

www.editions-ellipses.fr

Table des matières

Glossaire

ACE : Antigène Carcino-Embryonnaire

CECOS : Centres d'Études et de Conservation des Œufs et du Sperme

FdR : Facteurs de Risque

FISH : Fluorescent In Situ Hybridization

HNPCC : Hereditary Non Polyposis Colo-rectal Cancer (sd de Lynch)

HTIC : HyperTension Intra Crânienne

IHC : Immuno-Histo-Chimie

MAP : MYH Associated Polyposis

MC : Maladie de Crohn

MICI : maladies inflammatoires chroniques intestinales

NVCI : Nausées et Vomissements Chimio-Induits

PAF : Polypose Adénomateuse Familiale

PPS : Plan Personnalisé de Soins

RCH : Recto Colite Hémorragique

RCP : Réunion de Concertation Pluridisciplinaire

RTUP : Résection trans-urétrale de prostate

SCC : Squamous Cell Carcinoma

SOR : Standards Options et Recommandations

137. Soins palliatifs pluridisciplinaires chez un malade en phase palliative ou terminale d'une maladie grave, chronique ou létale. Accompagnement de la personne malade et de son entourage. Principaux repères éthiques

→ Se comporter de façon appropriée avec une personne atteinte de maladie létale. Savoir communiquer avec les personnes malades et leurs proches lorsque la visée principale des traitements devient palliative. Connaître les mécanismes psycho-adaptatifs du patient atteint de maladie grave. Connaître des repères pour être en relation et accompagner une personne malade et son entourage.

→ Se comporter de façon adaptée lorsqu'un patient formule un refus de traitement ou un souhait de mourir.

→ Aborder les questions éthiques, légales et sociétales posées lors des phases palliatives ou terminales d'une maladie grave, chronique ou létale.

→ Participer à une délibération, personnelle et collective, et à une prise de décision dans les situations où se pose un questionnement relatif à des investigations, des orientations de traitements (notion de proportionnalité) : hydratation ou nutrition artificielles, transfusion, antibiotique, corticoïdes, anticoagulants, chimiothérapies.

➤ RÉPONSES P. 226

■ [1]   Quels sont les mots clés de la définition des soins palliatifs ?

....

....

■ [2]   Quel texte de 2005 évoque l'obstination déraisonnable ?

....

....

■ [3]   Quelles sont les 3 étapes de l'annonce d'une maladie grave ?

....

....

■ [4]   Quels sont les 5 mécanismes psychologiques adaptatifs du patient face à l'annonce d'une maladie grave ?

....

....

■ [5]   Quels sont les 6 mécanismes de défense du soignant face à l'annonce d'une maladie grave ?

....

....

■ [6]   Comment est prise la décision d'arrêt des soins à visée curative ?

....

....

■ [7]   Qu'englobe le concept de « douleur globale » ?

....

....

■ [8] Quels sont les 2 principaux éléments de la loi Léonetti sur lesquels le médecins peut se reposer en fin de vie lorsque le patient n'est plus capable de dire ses souhaits ?

....

....

■ [9] Qu'est-ce que le principe du double effet ?

....

....

■ [10] Quelles sont les 2 principales molécules utilisées en phase terminale ?

....

....

■ [11] En cas d'encombrement bronchique en phase terminale, quelle molécule peut être utilisée ?

....

....

■ [12] Quels sont les 3 principes éthiques en phase terminale ?

....

....

■ [13] Comment prendre en charge la xérostomie (sécheresse buccale) dans la phase terminale de la prise en charge du patient ?

....

....

■ [14] Quelles sont les différentes structures pouvant organiser des soins palliatifs en France ?

....

....

138. Soins palliatifs pluridisciplinaires chez un malade en phase palliative ou terminale d'une maladie grave, chronique ou létale. La sédation pour détresse en phase terminale et dans des situations spécifiques et complexes en fin de vie. Réponse à la demande d'euthanasie ou de suicide assisté

➡ Connaître les indications de la sédation.

➡ Savoir délibérer individuellement et collectivement pour aboutir à une décision de sédation.

➡ Savoir mettre en œuvre et évaluer les effets d'une sédation pour un patient atteint de maladie létale.

➡ Comprendre la distinction entre une sédation pour détresse en phase terminale et une euthanasie.

➡ Savoir analyser une demande d'euthanasie ou de suicide assisté et apporter par tous les moyens légaux une réponse à la détresse qui sous-tend une telle demande.

➤ RÉPONSES P. 228

■ [1]   Qu'est ce que la proportionnalité des soins en phase terminale ?

....

....

■ [2]   Quelle est la définition de la sédation en soins palliatifs ?

....

....

■ [3]   Quels sont les objectifs de la sédation en phase terminale des soins palliatifs ?

....

....

■ [4]   Quelles sont les indications de la sédation en phase terminale des soins palliatifs ?

....

....

■ [5]   Quel est le médicament de choix pour la sédation ?

....

....

■ [6]   Quelles sont les conditions logistiques à mettre en œuvre pour appliquer une sédation ?

....

....

■ [7]   Comment la prise de décision de sédation en phase terminale doit-elle être prise ?

....

....

■ [8]   Quelles sont les modalités de titration du principal médicament utilisé pour une sédation ?

....

....

198. Biothérapies et thérapies ciblées

↪ Connaître les bases cellulaires et tissulaires d'action des thérapies ciblées.

➤ RÉPONSES P. 230

■ [1] Quelles sont les 2 grandes familles de thérapies ciblées utilisées en oncologie médicale ?

....

....

■ [2] Quels sont les 2 principaux effets secondaires « de classe » des thérapies ciblées utilisées en oncologie ?

....

....

■ [3] Quelle est l'histoire naturelle de la majorité des cancers traités par des thérapies ciblées ?

....

....

239. Goitre, nodules thyroïdiens et cancers thyroïdiens

→ Diagnostic des goitres et nodules thyroïdiens

→ Argumenter l'attitude thérapeutique et planifier le suivi du patient.

➤ RÉPONSES P. 231

■ [1]   Quel sexe est touché par ¾ des cancers de la thyroïde ?

....

....

■ [2]   Quels sont les facteurs de risque de cancer de la thyroïde ?

....

....

■ [3]   Quels sont les types anatomopathologiques principaux de cancer de la thyroïde ?

....

....

■ [4]   Devant tout nodule thyroïdien, quel est le premier examen à effectuer ?

....

....

■ [5]   Sur quels examens biologiques repose le bilan pré-thérapeutique devant un nodule thyroïdien suspect ?

....

....

■ [6]   Sur quels examens non biologiques repose le bilan diagnostic devant un nodule thyroïdien suspect ?

....

....

■ [7]   Pour un nodule > 0,7 cm et < 2 cm, sur quels arguments sera réalisé une cytoponction ?

....

....

■ [8]   En dehors d'un nodule parfaitement kystique, quelle est la conduite à tenir face à un nodule thyroïdien > 2 cm, avec ou sans caractéristiques échographiques suspectes ?

....

....

■ [9]   Quels sont les critères échographiques d'un nodule à risque ?

....

....

■ [10]   Quand est obtenu le diagnostic de certitude du cancer de la thyroïde ?

....

....

■ [11]   Quel est le traitement de référence des cancers folliculaires de la thyroïde ?

....

....

■ [12]   Quelle est l'alternative thérapeutique principale ?

....

....

■ [13]   Quelles sont les précautions à prendre chez une femme en âge de procréer concernant l'Ira-thérapie ?

....

....

■ [14]   En cas de tumeur médullaire de la thyroïde, quelle analyse génétique doit être effectuée ?

....

....

■ [15]   Quelle est la survie à 5 ans, tous stades/types confondus : 65, 75, 85, 95 % ?

....

....

■ [16]   Quels sont les 5 examens principaux du suivi du cancer folliculaire de la thyroïde traité ?

....

....

287. Épidémiologie, facteurs de risque, prévention et dépistage des cancers

➥ Décrire l'épidémiologie des cancers les plus fréquents
(sein, colon-rectum, poumon, prostate).
Incidence, prévalence, mortalité.

➥ Connaître et hiérarchiser les facteurs de risque
de ces cancers.

➥ Expliquer les principes de prévention
primaire et secondaire.

➥ Argumenter les principes du dépistage
du cancer (sein, colon-rectum, col utérin).

➤ RÉPONSES P. 233

■ [1] Quelle est l'incidence des cancers en France dans la population générale ?

....

....

■ [2] Quelle est la mortalité annuelle par cancer en France ?

....

....

■ [3] Quel est, en France, le cancer responsable du plus grand nombre de décès ?

....

....

■ [4] Quels sont les 2 principaux types anatomopathologiques de cancers issus des épithéliums ?

....

....

■ [5] Quelle est la prévalence du cancer de la prostate en France ?

....

....

■ [6] Combien de décès sont attribuables au cancer de la prostate chaque année en France ?

....

....

■ [7] Quelle est la survie à 5 ans du cancer de la prostate #1 si localisé ? #2 si métastatique ?

....

....

■ [8] Quelle est la prévalence annuelle du cancer du sein en France ?

....

....

■ [9] Combien de décès sont attribuables au cancer du sein chaque année en France ?

....

....

■ [10] Quelle est la survie à 5 ans (tous stades confondus) du cancer du sein ?

....

....

■ [11] Qu'est-ce qu'un sarcome ?

....

....

■ [12] Quelle est la prévalence annuelle du cancer du poumon en France ?

....

....

■ [13] Combien de décès sont attribuables au cancer du poumon (y compris mésothéliome malin) chaque année en France ?

....

....

■ [14] Quelle est la survie à 5 ans (tous stades confondus) du cancer du poumon ?

....

....

■ [15]   Quelle est la prévalence annuelle du cancer colo-rectal en France ?

....

....

■ [16]   Combien de décès sont attribuables au cancer colo-rectal chaque année en France ?

....

....

■ [17]   Quelle est la survie à 5 ans (tous stades confondus) du cancer colo-rectal ?

....

....

■ [18]   Quelle est la prévalence annuelle du mélanome malin en France ?

....

....

■ [19]   Combien de décès sont attribuables au mélanome malin chaque année en France ?

....

....

■ [20]   Quelles sont les 4 principales étapes de la carcinogénèse ?

....

....

■ [21]   Quels sont les 6 cancers considérés comme des urgences diagnostiques ?

....

....

■ [22] Que signifie Tx ? T1 ? T2 ? T3 ? T4 ?

....

....

■ [23] À quoi correspond le c du cTNM ?

....

....

■ [24] À quoi correspond le p du pTNM ?

....

....

■ [25] À quoi correspond le y du ypTNM ?

....

....

■ [26] Quels sont les 2 principaux types de gènes impliqués dans la cancérogénèse ?

....

....

■ [27] Quel est l'oncogène du lymphome du Burkitt ?

....

....

■ [28] Quel est l'oncogène de la leucémie myéloïde chronique ?

....

....

■ [29] Quel est le gène suppresseur de tumeur muté dans la PAF (Polypose Adénomateuse Familiale) ?

....

....

■ [30] Quel est le gène suppresseur de tumeur muté dans certains cancers du sein ?

....

....

■ [31] Comment évolue le rapport nucléo-cytoplasmique lors de la cancérogénèse ?

....

....

■ [32] Quels sont les 3 principaux cancers chez la femme, en fréquence ?

....

....

■ [33] Quels sont les 4 principaux cancers chez l'homme, en fréquence ?

....

....

■ [34] Quels sont les 5 grands groupes de facteurs de risque de cancer ?

....

....

■ [35] Quels sont les 4 principaux facteurs de risque environnementaux de cancer solide ?

....

....

■ [36] Quelle maladie génétique prédispose aux leucémies aiguës lymphoïdes ?

....

....

■ [37] Quelles sont les 2 prédispositions génétiques principales au cancer du sein ?

....

....

■ [38] Quelle est la principale maladie génétique prédisposant au cancer du rein ?

....

....

■ [39] Quels sont les 3 principaux cancers induits par EBV (Epstein Barr Virus) ?

....

....

■ [40] Quel est le cancer principal induit par HHV8 ?

....

....

■ [41] Quels sont les 2 principaux cancers induits par le VIH ?

....

....

■ [42] Quels sont les principaux cancers induits par les HPV (Human Papilloma Virus) ?

....

....

■ [43]   Quel est le principal facteur de risque professionnel de cancer de l'ethmoïde ?

....

....

■ [44]   Quels sont les principaux cancers induits par le benzène ?

....

....

■ [45]   Quel est le principal cancer induit par l'hormonothérapie par tamoxifène du cancer du sein ?

....

....

■ [46]   Quel est le principal cancer induit par les chimiothérapies ?

....

....

■ [47]   Quel est le principal type de cancer induit par le cyclophospha-mide ?

....

....

■ [48]   Quel est le principal cancer induit par les immunosuppresseurs après une transplantation d'organes ?

....

....

■ [49]   Quel est l'objectif de la prévention primaire ? Par quel moyen principal ?

....

....

■ [50]   Quel est l'objectif de la prévention secondaire ? Par quel moyen
         principal ?

         ....

         ....

■ [51]   Quels sont les objectifs de la prévention tertiaire ? Par quel moyen
         principal ?

         ....

         ....

■ [52]   Quels sont les critères OMS pour que le dépistage organisé d'une
         pathologie soit recommandé ? #1 : critères concernant la maladie

         ....

         ....

■ [53]   Quels sont les critères OMS pour que le dépistage organisé
         d'une pathologie soit recommandé ? #2 : critères concernant la
         population

         ....

         ....

■ [54]   Quels sont les critères OMS pour que le dépistage organisé d'une
         pathologie soit recommandé ? #3 : critères concernant le test de
         dépistage

         ....

         ....

■ [55]   Quels sont les 3 cancers pour lesquels un dépistage ORGANISÉ est
         prévu en France ?

         ....

         ....

■ [56] Quels sont les 2 cancers pour lesquels un dépistage INDIVIDUEL est recommandé?

....

....

■ [57] Quelles sont les modalités du dépistage du cancer du sein?

....

....

■ [58] Quelles sont les modalités du dépistage du cancer colo-rectal?

....

....

■ [59] Quelles sont les modalités du dépistage du cancer du col de l'utérus?

....

....

■ [60] Quelles sont les modalités du dépistage du cancer de la prostate?

....

....

289. Diagnostic des cancers : signes d'appel et investigations para-cliniques ; caractérisation du stade ; pronostic

➥ Décrire les principes du raisonnement diagnostique en cancérologie.

➥ Expliquer les bases des classifications qui ont une incidence pronostique.

➥ Connaître les principaux marqueurs diagnostiques et prédictifs des cancers.

➤ RÉPONSES P. 237

■ [1] Sous quelle forme l'examen physique du patient doit-il être consigné en oncologie ?

....

....

■ [2] Citer 3 éléments cliniques ayant une forte valeur pronostique dans tous les cancers devant systématiquement apparaître dans une observation en oncologie

....

....

■ [3] Quel est le seul moyen de poser le diagnostic de cancer, et pouvoir le traiter ensuite ?

....

....

■ [4] Quelle méthode utilisée par l'anatomopathologiste est une aide précieuse au diagnostic du cancer, en particulier pour déterminer le type et l'origine de celui-ci ?

....

....

■ [5] En immuno-histochimie, quel est le principal marqueur de prolifé- ration utilisé ?

....

....

■ [6] Quel est le principal marqueur immuno-histochimique de l'adénocar- cinome broncho-pulmonaire ?

....

....

■ [7]   De quel cancer l'enzyme NSE est le principal marqueur
        biologique ?

        ....

        ....

■ [8]   Quel est le marqueur sérique du carcinome médullaire de la
        thyroïde ?

        ....

        ....

■ [9]   Quel est le marqueur biologique sérique principal du cancer du
        sein ?

        ....

        ....

■ [10] Quels sont les 3 principaux cancers dont l'alpha fœto protéine est le
        principal marqueur sérique ?

        ....

        ....

■ [11] Quel est le marqueur sérique principal du cancer de l'ovaire ?

        ....

        ....

■ [12] Quel est le principal marqueur sérique utilisé en onco-hémato-
        logie ?

        ....

        ....

■ [13] Quels sont les 3 principaux marqueurs des tumeurs germinales ?

        ....

        ....

■ [14] Quelle est l'enzyme utilisée comme marqueur dans le diagnostic et le suivi du cancer de la prostate ?

....

....

■ [15] Quel est le détail de l'échelle « pronostic status » (PS) de l'OMS ?

....

....

■ [16] Quels sont les 5 cancers pour lesquels un traitement chirurgical à visée curative est envisageable sans preuve anatomopathologique préalable ?

....

....

■ [17] Quels sont les 3 grands éléments du bilan d'extension à évaluer systématiquement ?

....

....

■ [18] Comment différencier une hypercalcémie maligne par métastases osseuses et hyper-parathyroïdie paranéoplasique ?

....

....

■ [19] Quels sont les 2 cancers avec le plus de thrombophilie paranéoplasique ?

....

....

■ [20]   Qu'est-ce que le syndrome de Trousseau ?

....

....

■ [21]   Quelles sont les 5 étapes pratiques de la « consultation d'annonce » ?

....

....

■ [22]   Quels sont les 4 maillons du « dispositif d'annonce » ?

....

....

■ [23]   Citer 4 des principaux facteurs pronostiques liés au terrain communs à tous les cancers ?

....

....

■ [24]   Citer 3 des principaux facteurs pronostiques liés au traitement communs à tous les cancers ?

....

....

290. Le médecin préleveur de cellules et/ou de tissus pour des examens d'Anatomie et Cytologie Pathologiques : connaître les principes de réalisation, transmission et utilisation des prélèvements à visée sanitaire et de recherche

➥ Connaître les modalités de transmission de ces prélèvements au laboratoire d'anatomie et cytologie pathologiques.

➥ Connaître les principes de base de réalisation des techniques morphologiques suivantes : cytologie, histologie, immunohistochimie, hybridation *in situ*.

➥ Connaître les principes permettant de réaliser des techniques de biologie moléculaire non morphologique sur les prélèvements tissulaires/cellulaires, ainsi que leurs principales indications.

➥ Connaître les principales indications de l'examen extemporané, son principe de réalisation et ses limites.

➥ Connaître les exigences nécessaires pour l'utilisation des prélèvements dans des travaux de recherche.

➤ RÉPONSES P. 239

■ [1]   Qu'est ce que la cytologie ?

....

....

■ [2]   Quelles sont les 2 techniques de prélèvement pour recueillir des cellules à analyser en cytologie ?

....

....

■ [3]   Quelles sont les étapes techniques de la réalisation d'une analyse cytologique d'un frottis ?

....

....

■ [4]   Quelles sont les étapes de la réalisation technique d'un examen histologique ?

....

....

■ [5]   Quelles sont les étapes de la réalisation technique d'un examen immuno-histochimique ?

....

....

■ [6]   Quel est le principe d'un examen d'hybridation in situ ?

....

....

■ [7]   Quelle est la définition de la biologie moléculaire ?

....

....

■ [8] Quelles sont les principales techniques en biologie moléculaire, permettant d'identifier et de manipuler l'ADN, ARN, protéines et molécules structurelles et enzymatiques ?

....

....

■ [9] Quelles sont les principales indications de l'examen extemporané ?

....

....

■ [10] Quel est le principal inconvénient de l'examen extemporané ?

....

....

■ [11] Quelles sont les étapes de l'examen extemporané ?

....

....

■ [12] Quelles sont les exigences pour l'utilisation des prélèvements histologiques dans un protocole de recherche ?

....

....

291. Traitement des cancers : chirurgie, radiothérapie, traitements médicaux des cancers (chimiothérapie, thérapies ciblées, immunothérapie). La décision thérapeutique pluridisciplinaire et l'information du malade

→ Décrire les principes et risques des traitements en cancérologie (voir item 326).

→ Justifier l'utilité d'une concertation pluridisciplinaire.

→ Connaître les objectifs du dispositif d'annonce et de la mise en place d'un programme personnalisé des soins.

215. Pathologie du fer chez l'adulte et l'enfant

→ Diagnostiquer une carence ou une surcharge en fer.

→ Argumenter l'attitude thérapeutique et planifier le suivi du patient.

266. Hypercalcémie

→ Argumenter les principales hypothèses diagnostiques et justifier les examens complémentaires pertinents.

→ Identifier les situations d'urgence et planifier leur prise en charge.

➤ RÉPONSES P. 242

■ [1]   Quel est le but d'un traitement curatif ? et palliatif ?

....

....

■ [2]   Qu'est-ce qu'un traitement néo-adjuvant ?

....

....

■ [3]   Qu'est-ce qu'un traitement adjuvant ?

....

....

■ [4]   Quel est l'objectif d'une chimiothérapie de « 1re ligne » ?

....

....

■ [5]   Quelles sont les 3 étapes d'un traitement chirurgical en oncologie ?

....

....

■ [6]   Quelles sont les 3 principales complications communes à toute chirurgie ?

....

....

■ [7]   Comment sont évaluées les marges de résection après un geste chirurgical ?

....

....

■ [8]　Qu'est-ce qu'un lymphocèle ? Un lymphœdème ?

....

....

■ [9]　Quelles sont les 2 mesures ayant prouvé leur efficacité dans la prise
en charge du lymphœdème ?

....

....

■ [10]　Quelles sont les principaux conseils à donner à un patient souffrant
d'un lymphœdème iatrogène ?

....

....

■ [11]　À partir de combien d'épisodes de lymphangite par an peut-on
proposer une antibio-prophylaxie ?

....

....

■ [12]　Qu'est-ce qu'un Gray ?

....

....

■ [13]　Qu'est-ce que le fractionnement en radiothérapie ?

....

....

■ [14]　Qu'est-ce que l'étalement en radiothérapie ?

....

....

■ [15]   Quels sont les objectifs du scanner pré-thérapeutique en radiothérapie ?

....

....

■ [16]   Quel est l'effet cutané principal de la radiothérapie à court terme ?
à long terme ?

....

....

■ [17]   Quel est l'effet hématologique le plus grave à court terme de la
chimiothérapie ?

....

....

■ [18]   Quelle est l'effet secondaire aigu redouté lors d'une radiothérapie
cérébrale ?

....

....

■ [19]   Quels sont les principaux effets secondaires de la radiothérapie externe
sur le plan digestif, à court terme = précoces et transitoires ?

....

....

■ [20]   Quels sont les principaux effets secondaires de la radiothérapie externe
sur le plan urinaire, à court terme = précoces et transitoires ?

....

....

■ [21]   Quels sont les principaux effets secondaires de la radiothérapie externe sur le plan cutané, à court terme = précoces et transitoires ?

....

....

■ [22]   Quels sont les principaux effets secondaires de la radiothérapie externe sur le plan digestif, à long terme ?

....

....

■ [23]   Quels sont les principaux effets secondaires de la radiothérapie externe sur le plan vaginal, à long terme ?

....

....

■ [24]   Quels sont les principaux effets secondaires de la radiothérapie externe sur le plan urinaire, à long terme ?

....

....

■ [25]   Quels sont les principaux effets secondaires de la radiothérapie externe d'un cancer des VADS, à court terme ?

....

....

■ [26]   Quels sont les principaux effets secondaires de la radiothérapie externe d'un cancer des VADS, à long terme ?

....

....

■ [27]   En cas de cystite, rectite radique, des biopsies ont-elles un intérêt ?

....

....

■ [28]   Quel matériel implantable nécessite généralement une polychimio-
         thérapie systémique ?

         ....

         ....

■ [29]   Quel est le bilan minimal en hopital de jour avant la majorité des
         chimiothérapies ?

         ....

         ....

■ [30]   Quels sont les principaux effets secondaires immédiats communs
         à toutes les chimiothérapies ?

         ....

         ....

■ [31]   Quels sont les principaux effets secondaires retardés commun à
         toutes les chimiothérapies ?

         ....

         ....

■ [32]   Quels sont les 3 principaux effets secondaires cumulatifs communs
         à toutes les chimiothérapies ?

         ....

         ....

■ [33]   Quelle est la voie veineuse d'abord la plus utilisée en oncologie ?

         ....

         ....

■ [34]   Quelles sont les 2 principales complications de cette voie d'abord ?

         ....

         ....

■ [35] Quels sont les 3 effets secondaires retardés principaux spécifiques aux sels de platine, dans la famille des alkylants ?

....

....

■ [36] Quelles sont les principales précautions spécifiques à prendre pour pouvoir réaliser une chimiothérapie par sels de platine ?

....

....

■ [37] Quel est le principal effet secondaire retardé des moutardes azotées telles que le méphalan ?

....

....

■ [38] Quels sont les effets urologique du cyclophosphamide, agent alkylant ?

....

....

■ [39] Quel est le principal effet cumulatif des inhibiteurs de la topo-isomérase II tels que les anthracyclines (doxorubicine, épirubicine) ?

....

....

■ [40] Quel est le principal effet immédiat spécifique du 5FU, un antimétabolite ?

....

....

■ [41] Quel est le principal effet ORL du 5FU ?

....

....

■ [42] Quelle est la principale complication cumulative des poisons du fuseau, tels que les taxanes ?

....

....

■ [43] En cas de carcinose péritonéale avec un cancer colique en place, quel est le principal risque des anti-VEGF ?

....

....

■ [44] Quel est le principal effet secondaire cumulatif du traztuzumab (Herceptin®), thérapie ciblée du cancer du sein ?

....

....

■ [45] Quel est le principal effet secondaire cumulatif de la bléomycine ?

....

....

■ [46] Quelle est la principale méthode de prévention de la stérilité lors d'une chimiothérapie chez une femme en âge de procréer ?

....

....

■ [47] Quelle est la principale méthode de prévention de la stérilité lors de la chimiothérapie chez un homme ?

....

....

■ [48]   Comment gérer une anémie chez un patient sous chimiothérapie ?

....

....

■ [49]   Comment gérer une thrombopénie chez un patient sous chimiothé-
         rapie ?

....

....

■ [50]   Quels sont les 2 éléments que l'on peut proposer au patient dans le
         cadre de l'alopécie chimio induite ?

....

....

■ [51]   Quels sont les 3 types de Nausées et Vomissements Chimio
         Induits ?

....

....

■ [52]   Quel est le facteur protégeant le plus des NVCI ?

....

....

■ [53]   Quels sont les facteurs de risque de NVCI ?

....

....

■ [54]   Comment prévenir les vomissements anticipés ?

....

....

■ [55] Comment prévenir les vomissements précoces < 24 h en cas de chimiothérapie hautement émétisante ?

....

....

■ [56] Comment prévenir les vomissements retardés > 24 h en cas de chimiothérapie hautement émétisante ?

....

....

■ [57] Comment évaluer la réponse à une chimiothérapie dans la majorité des cancers ?

....

....

■ [58] Quelles sont les différentes conclusions selon les critères RECIST de l'évolution d'une tumeur en imagerie après chimiothérapie ?

....

....

■ [59] Comment diagnostiquer une carence martiale chez le patient en oncologie ?

....

....

■ [60] Comment traiter l'anémie, pathologie fréquente en oncologie ?

....

....

292. Prise en charge et accompagnement d'un malade cancéreux à tous les stades de la maladie dont le stade de soins palliatifs en abordant les problématiques techniques, relationnelles, sociales et éthiques. Traitements symptomatiques. Modalités de surveillance

- Expliquer les principes de la prise en charge globale du malade à tous les stades de la maladie en tenant compte des problèmes psychologiques, éthiques et sociaux.
- Comprendre et intégrer la notion de discussion collégiale pour les prises de décision en situation de complexité et de limite des savoirs.

➤ RÉPONSES P. 248

■ [1] Quelles sont les 3 phases du traitement d'un cancer?

....

....

■ [2] Quels sont les 6 critères de qualité d'une RCP (Réunion de Concertation Pluridisciplinaire), définis par la HAS?

....

....

■ [3] Quel est le but des RCP?

....

....

■ [4] Quelle est la définition des soins palliatifs?

....

....

■ [5] Quelles sont les principales indications à une hospitalisation en soins palliatifs?

....

....

■ [6] Qu'est-ce que le principe du « double effet » ?

....

....

■ [7] Quels sont les 3 principes éthiques majeurs en oncologie?

....

....

■ [8] Quels sont les 2 éléments permettant d'améliorer le respect de la volonté du patient dans l'incapacité de dialoguer ?

....

....

■ [9] Qu'est-ce qu'une prise en charge globale ?

....

....

■ [10] Quels sont les 5 principes clés du traitement antalgique selon l'OMS ?

....

....

■ [11] En oncologie, faut-il privilégier un traitement antalgique à la demande ou bien selon un shéma fixe à adapter selon l'évaluation du patient ?

....

....

■ [12] Quel est l'examen paraclinique de référence en cas de compression médullaire ?

....

....

■ [13] Quels sont les éléments urgents de la prise en charge d'une compression médullaire ?

....

....

■ [14] Quels sont les 2 principaux traitements d'une compression médullaire ?

....

....

■ [15]   Quelle est la prise en charge en urgence d'une hypercalcémie maligne ?

....

....

■ [16]   Quels sont les 3 éléments clés de la prévention des escarres ?

....

....

■ [17]   Quels examens d'imagerie réaliser en premier lieu face à un syndrome cave supérieur ?

....

....

■ [18]   Quel est le traitement en urgence d'un syndrome cave supérieur sur obstruction tumorale de la veine cave supérieure ?

....

....

■ [19]   Quel est le traitement en urgence d'un syndrome cave supérieur sur thrombose d'un cathéter veineux central ?

....

....

■ [20]   Quels traitements symptomatiques pour les patients ayant la bouche sèche/hyposialie/xérostomie (radiothérapie…) ?

....

....

■ [21]   Quels sont les traitements symptomatiques de la dyspnée ?

....

....

■ [22]   Quels sont les traitements palliatifs de la sub-occlusion digestive (carcinose péritonéale, cancer colo-rectal...) ?

....

....

■ [23]   Quel est le traitement palliatif de l'inappétance ?

....

....

■ [24]   Quel traitement ajouter en cas d'escarres malodorants ?

....

....

■ [25]   Quels traitements en cas d'agitation ?

....

....

■ [26]   En fin de vie chez un patient ne pouvant plus avaler, comment assurer l'hydratation ?

....

....

■ [27]   En fin de vie chez un patient ne pouvant plus avaler, comment assurer l'alimentation ?

....

....

■ [28]   Quelles sont les 6 étapes du deuil face à l'annonce d'une maladie grave ?

....

....

■ [29]   Quels sont les 2 traitements clés en fin de vie ?

....

....

■ [30]   Quel traitement associer systématiquement à une prescription de morphiniques ?

....

....

■ [31]   Quel est le traitement symptomatique d'une diarrhée liée à une chimiothérapie ?

....

....

■ [32]   Quelle étiologie de diarrhée craindre chez un patient en cours de chimiothérapie ?

....

....

■ [33]   Quelles sont l'HBPM ayant l'AMM dans le traitement curatif des évènements thrombo-emboliques chez le patient atteint d'un cancer ?

....

....

293. Agranulocytose médicamenteuse : conduite à tenir

↪ Diagnostiquer une agranulocytose médicamenteuse.

↪ Identifier les situations d'urgence et planifier leur prise en charge.

187. Fièvre chez un patient immunodéprimé

↪ Connaître les situations d'urgence
   et les grands principes de la prise en charge.

↪ Connaître les principes de la prise en charge
   en cas de fièvre aiguë chez un patient neutropénique.

↪ Connaître les principes de prévention
   des infections chez les patients immunodéprimés.

➤ RÉPONSES P. 252

■ [1]   Quelle est la définition d'une agranulocytose ?

....

....

■ [2]   Au cours d'une aplasie, quelles autres lignées sont touchées ?

....

....

■ [3]   Quels sont les 2 grands types d'agranulocytose médicamenteuse ?

....

....

■ [4]   De quel(s) élément(s) dépend l'imputabilité intrinsèque ?

....

....

■ [5]   De quel(s) élément(s) dépend l'imputabilité extrinsèque ?

....

....

■ [6]   Quelles sont les indications à un hémogramme en urgence chez un patient sous chimiothérapie ?

....

....

■ [7]   Quels sont les 3 principaux éléments de l'examen clinique d'un patient en aplasie fébrile ?

....

....

■ [8] En combien de temps régresse généralement la neutropénie chimio-induite (tumeurs solides) ?

....

....

■ [9] Une prévention de la neutropénie fébrile par facteurs de croissance (G-CSF) est-elle systématique ?

....

....

■ [10] Quel est le critère lié à la chimiothérapie faisant prescrire des facteurs de croissance ?

....

....

■ [11] Quels sont les 2 principaux critères liés au patient faisant prescrire des facteurs de croissance ?

....

....

■ [12] En cas d'agranulocytose au cours d'une chimiothérapie, faut-il réaliser un myélogramme ?

....

....

■ [13] Quel est l'examen bactériologique direct des principaux germes responsables d'infections chez les patients en aplasie ?

....

....

■ [14]   Quels sont les germes qui sont le plus à risque d'entrainer le décès d'un patient par choc septique au cours d'une neutropénie fébrile ?

....

....

■ [15]   En plus des hémocultures standard, quelle autre prélèvement sanguin faut-il systématiquement réaliser chez un patient d'oncologie en aplasie fébrile ?

....

....

■ [16]   Quel est le reste du bilan paraclinique à réaliser en cas d'aplasie fébrile ?

....

....

■ [17]   En cas d'aplasie fébrile sans gravité, quelle antibiothérapie prescrire ?

....

....

■ [18]   En cas d'aplasie fébrile avec signes de gravité, quelle antibiothérapie prescrire ?

....

....

■ [19]   Quelle antibiothérapie si la fièvre persiste à 48 h ?

....

....

■ [20]   Et quelle antibiothérapie si la fièvre persiste à à 72 h ?

....

....

■ [21]   En cas d'aplasie non fébrile chez un patient asymptomatique, quelle
          est la conduite à tenir au SAU ?

....

....

■ [22]   En cas d'hospitalisation d'un patient en aplasie, quelle précaution
          faut-il prendre pour le patient ?

....

....

■ [23]   Quelles sont les vaccinations recommandées chez un patient qui va
          recevoir une chimiothérapie ?

....

....

294. Cancer de l'enfant : particularités épidémiologiques, diagnostiques et thérapeutiques

↪ Expliquer les particularités épidémiologiques, diagnostiques et thérapeutiques des principaux cancers de l'enfant.

➤ RÉPONSES P. 254

■ [1]   Quelle est l'épidémiologie des cancers de l'enfant ?

....

....

■ [2]   Dans quelle tranche d'âge sont diagnostiqués la majorité des cancers
de l'enfant ?

....

....

■ [3]   Quel est le taux global de guérison des cancers de l'enfant : 40, 60,
80 % ?

....

....

■ [4]   Quel est le principal cancer de l'enfant en fréquence ?

....

....

■ [5]   Quels sont les autres principaux types de tumeurs de l'enfant ?

....

....

■ [6]   Quel élément clinique simple, repérable sur le carnet de santé, est
à rechercher particulièrement ?

....

....

■ [7]   Quelles sont les 2 principales particularités de la consultation d'annonce
d'un cancer de l'enfant ?

....

....

■ [8] Quel est le premier examen paraclinique à réaliser lors de la découverte à l'examen clinique d'une masse abdominale chez l'enfant?

....

....

■ [9] Quelle est la sensibilité des tumeurs de l'enfant aux chimiothérapies?

....

....

■ [10] En cas de tumeur abdominale intrapéritonéale, quels sont les 2 diagnostics à évoquer?

....

....

■ [11] En cas de leucocorie (reflet blanc pupillaire), quel est le diagnostic à évoquer?

....

....

■ [12] Quels sont les 2 cancers de l'enfant à évoquer face à une masse rétropéritonéale?

....

....

■ [13] Quel cancer est un diagnostic différentiel de toute tuméfaction chez l'enfant (membre, péri-orificiel...)?

....

....

■ [14] En cas de prurit persistant, quelle est la pathologie à évoquer ?

....

....

■ [15] Quelle tumeur abdominale de l'enfant ne doit en général pas être biopsiée ?

....

....

■ [16] Quel dosage doit être réalisé devant une tumeur abdominale rétro-péritonéale de l'enfant ?

....

....

■ [17] Quel examen d'imagerie spécifique doit être réalisé pour le bilan d'un neuroblastome ?

....

....

■ [18] Quelle analyse génétique sera utile à titre pronostique dans le bilan d'un neuroblastome ?

....

....

■ [19] Quel est l'âge médian au diagnostic des neuroblastomes ?

....

....

■ [20] Pour le suivi des enfants, quelle mesure scolaire doit être réalisée ?

....

....

■ [21]   Quels sont les 2 cancers de l'enfant où l'alpha-fœto-protéine est élevée?

....

....

■ [22]   Quel rapport faut-il instaurer entre les parents, l'enfant et les soignants?

....

....

■ [23]   Quels sont les 3 grands objectifs d'une chimiothérapie néoadjuvante, souvent utilisée chez l'enfant?

....

....

■ [24]   Qu'est-ce que le syndrome de Hutchinson?

....

....

295. Tumeurs de la cavité buccale, naso-sinusiennes et du cavum, et des voies aérodigestives supérieures

↳ Diagnostiquer une tumeur de la cavité buccale, naso-sinusienne ou du cavum, ou des voies aérodigestives supérieures.

➤ RÉPONSES P. 255

■ [1]   Quelle est l'épidémiologie des cancers des VADS ?

....

....

■ [2]   Quel est le principal type anatomopathologique des cancers des VADS ?

....

....

■ [3]   Quelle est la zone anatomique où se situent la majorité des cancers des VADS ?

....

....

■ [4]   Quels sont les principaux facteurs de risque des cancers épidermoï-des des VADS ?

....

....

■ [5]   Quel est le type principal anatomopathologique de cancer du cavum ?

....

....

■ [6]   Quels sont les 2 principaux facteurs de risque de cancer du cavum ?

....

....

■ [7]   Quel est le premier mode de découverte des cancers du cavum ?

....

....

■ [8]   Quelle est la triade symptomatique des cancers du cavum ?

....

....

■ [9]   Quel est le nom de l'otalgie liée à un cancer des VADS ou autre lésion non otologique ?

....

....

■ [10]   Quel est le type anatomopathologique des cancers de l'ethmoïde ?

....

....

■ [11]   Quel est le principal facteur de risque de cancer de l'ethmoïde ?

....

....

■ [12]   Quelles sont les 4 principales étapes de l'examen physique ORL ?

....

....

■ [13]   Quels sont les principaux examens complémentaires d'imagerie ORL à réaliser ?

....

....

■ [14]   Quels sont les autres principaux examens d'imagerie à réaliser ?

....

....

■ [15] Quel est le déroulement de l'examen endoscopique visant à biopsier la tumeu, et rechercher une tumeur synchrone?

....

....

■ [16] Quels sont les 2 examens d'endoscopie SOUPLE complétant souvent la pan-endoscopie des VADS?

....

....

■ [17] Qu'est-ce qui conditionne souvent le pronostic des cancers des VADS?

....

....

■ [18] Quels sont les 2 principaux enjeux du suivi des cancers des VADS, en dehors de rechercher une récidive?

....

....

■ [19] Sur quels examens repose le suivi des cancers des VADS?

....

....

■ [20] À quel moment du suivi a lieu la majorité des rechutes?

....

....

■ [21] Quels marqueurs tumoraux sont indiqués en routine?

....

....

■ [22]   Quels sont les éléments de la sérologie EBV ?

....

....

■ [23]   Lors d'une irradiation dentaire, quelle mesure est à réaliser en pré-
thérapeutique et en post thérapeutique en prévention des caries ?

....

....

■ [24]   Quel est le traitement de référence des cancers épidermoïdes
ORL ?

....

....

■ [25]   Quel est le traitement de référence du cancer indifférencié du
cavum ?

....

....

■ [26]   Qu'est-ce que le concept de « préservation d'organe » ?

....

....

■ [27]   Quelles sont les 2 principales chimiothérapies des cancers ORL ?

....

....

■ [28]   Quel est le principal effet indésirable handicapant du 5FU à moyen
terme ?

....

....

■ [29] Pour quelle raison les patients atteints de cancers ORL ont moins besoin d'anti-émétiques lors de chimiothérapies par des molécules très émétisantes telles que les sels de platine ?

....

....

■ [30] Pour confirmer une rechute lors du suivi, quels sont les 3 examens les plus importants ?

....

....

■ [31] Quel dosage sanguin annuel est à réaliser après une irradiation ORL ?

....

....

■ [32] Quels éléments de la prise en charge sont spécifiques aux comorbidités des patients atteints d'un carcinome épidermoïde des VADS ?

....

....

■ [33] Quelles sont les 2 fonctions vitales à surveiller principalement après traitement chirurgical ORL ?

....

....

296. Tumeurs intracrâniennes

↪ Diagnostiquer une tumeur intracrânienne.

↪ Identifier les situations d'urgence
et planifier leur prise en charge.

➤ RÉPONSES P. 258

■ [1] Quelle est la principale localisation des tumeurs cérébrales chez l'enfant ? Chez l'adulte ?

....

....

■ [2] Quelle est la nature des principales des tumeurs du SNC ?

....

....

■ [3] Quel est le principal facteur de risque de tumeur primitive du SNC ?

....

....

■ [4] Quel est l'examen de référence pour dépister une tumeur du SNC ?

....

....

■ [5] Quel examen clinique ophtalmologique à réaliser en urgence lors de la découverte d'une tumeur cérébrale, et que peut-on y retrouver ?

....

....

■ [6] Dans quels cas réaliser une biopsie tumorale ?

....

....

■ [7] Quels sont les 3 principaux cancers responsables de métastases cérébrales ?

....

....

■ [8] Quel est le principal diagnostic différentiel curable d'une tumeur cérébrale ?

....

....

■ [9] Quel est le principal type de tumeurs supra-sellaire de l'enfant ?

....

....

■ [10] Quel est le principal type de tumeurs supra-sellaire de l'adulte ?

....

....

■ [11] Quels sont les 4 principaux symptômes du syndrome d'hypertension intra-crânienne (HTIC) ?

....

....

■ [12] Quels sont les 5 éléments cliniques spécifiques à l'HTIC chez le nourrisson ?

....

....

■ [13] Quels sont les 3 types d'engagement cérébral ?

....

....

■ [14] Quelle est la clinique de l'engagement temporal ?

....

....

■ [15]   Quel est le traitement en urgence d'une HTIC ?

....

....

■ [16]   Quel est le traitement étiologique de l'HTIC en cas d'hydrocéphalie
(tumeur compressant le V4...) ?

....

....

■ [17]   Quelle est la séquence IRM permettant de différencier un abcès à
pyogènes, principal diagnostic d'une tumeur à centre nécrotique ?

....

....

■ [18]   Quelles sont les principales étiologies d'abcès cérébral ?

....

....

■ [19]   Comment se présente l'œdème péri-lésionnel à l'IRM cérébrale ?

....

....

■ [20]   Quelles sont les différentes modalités de biopsie cérébrale ?

....

....

■ [21]   Quel examen réaliser pour éliminer une origine métastatique ?

....

....

■ [22] Quel est le principal type histologique de tumeurs primitives du SNC ?

....

....

■ [23] Quelle est la spécificité des tumeurs du SNC, commune avec les carcinomes baso-cellulaires cutanés ?

....

....

■ [24] Que réaliser avant la corticothérapie dans le cadre d'une suspicion de lymphome cérébral primitif ?

....

....

■ [25] Quelle analyse complétant l'anatomopathologie est recommandée ?

....

....

■ [26] Quels sont les 3 paramètres pronostiques liés à la tumeur ?

....

....

■ [27] Quels sont les 3 paramètres pronostiques liés au patient ?

....

....

■ [28] Quels grades de gliomes correspondent à des tumeurs malignes ?

....

....

■ [29] Quel est l'autre nom du gliome de grade 1, principalement chez l'enfant ?

....

....

■ [30] Quel est le nom du gliome de grade IV ?

....

....

■ [31] Quelles sont les possibilités thérapeutiques du traitement des tumeurs du SNC ?

....

....

■ [32] Quel est le traitement d'un lymphome cérébral primitif ?

....

....

■ [33] Quelles sont les 3 possibilités thérapeutiques principales d'un glioblastome, en fonction de la tumeur, de l'âge du patient et ses comorbidités ?

....

....

■ [34] Quelle modalité chirurgicale permet de s'appuyer en temps réel sur une cartographie anatomique et fonctionnelle du cerveau ?

....

....

■ [35] Quelle est la principale complication post-opératoire d'une tumeur du SNC ?

....

....

■ [36] Quelle est la principale complication de la radiothérapie cérébrale ?

....

....

■ [37] Quels sont les 2 examens sur lesquels repose le suivi ?

....

....

■ [38] Quel est le mot-clé de la prise en charge du patient après une chirurgie d'exérèse ?

....

....

■ [39] Quel est le principal effet secondaire comportemental de la chirurgie du crâniopharyngiome chez l'enfant ?

....

....

297. Tumeurs du col utérin, tumeur du corps utérin

↪ Diagnostiquer une tumeur du col utérin et du corps utérin.

➤ RÉPONSES P. 261

■ [1]   Quel est l'âge du pic d'incidence du cancer du col de l'utérus ?

....

....

■ [2]   Quel est le principal symptôme du cancer du col de l'utérus ?

....

....

■ [3]   Sur quel élément repose la prévention primaire du cancer du col de l'utérus ?

....

....

■ [4]   Quels sont les deux principaux types anatomopathologiques de cancers du col de l'utérus ?

....

....

■ [5]   Quel est le principal facteur de risque de cancer du col de l'utérus ?

....

....

■ [6]   Quels en sont les 2 principaux génotypes ?

....

....

■ [7]   Sur quoi repose la prévention secondaire du cancer du col de l'utérus ?

....

....

■ [8] Quelle est la première lésion histologique, conséquence de cette infection ?

....

....

■ [9] Quelles en sont les 3 évolutions possibles ?

....

....

■ [10] Quelles sont les modalités du dépistage organisé du cancer du col de l'utérus ?

....

....

■ [11] Quels sont les 2 types de frottis cervico utérin ?

....

....

■ [12] Quelles sont les 5 conclusions possibles concernant les cellules malpighiennes d'un FCU (Frottis Cervico Utérin) selon la classification de Bethesda ?

....

....

■ [13] Quelle est la conduite à tenir en cas de conclusion du FCU = Normal ?

....

....

■ [14]   Quelle est la conduite à tenir en cas de conclusion du FCU = Mal effectué ?

....

....

■ [15]   Quelle est la conduite à tenir en cas de conclusion du FCU = ASCUS ?

....

....

■ [16]   Quelle est la conduite à tenir en cas de conclusion du FCU = Lésion de bas grade ?

....

....

■ [17]   Quelle est la conduite à tenir en cas de conclusion du FCU = Lésion de haut grade = ASC-H ?

....

....

■ [18]   Quelles sont les modalités de réalisation de la colposcopie ?

....

....

■ [19]   Quelle est la classification anatomopathologique utilisée après biopsies ?

....

....

■ [20]   Quel est le délai moyen entre le premier contact viral avec une souche oncogène d'HPV et le développement d'un cancer du col de l'utérus ?

....

....

■ [21] Quels sont les principaux facteurs de risque de cette infection sexuellement transmissible ?

....

....

■ [22] Quels sont les facteurs favorisant la persistance de cette infection virale ?

....

....

■ [23] Sur quel examen repose le diagnostic de cancer du col de l'utérus ?

....

....

■ [24] Quel est l'examen d'imagerie de référence dans le cancer du col de l'utérus ?

....

....

■ [25] Quelles sont les indications à la cystoscopie et la rectoscopie ?

....

....

■ [26] Pour les cancers épidermoïdes du col de l'utérus (80 %), de quel marqueur biologique le dosage est-il utile pour le suivi ?

....

....

■ [27] Quelles sont les différentes modalités thérapeutiques disponibles dans le cancer du col de l'utérus ?

....

....

■ [28] Durant le suivi, quels sont les 2 éléments gynécologiques importants à prendre en charge pour la patiente, du fait de l'épidémiologie de ce cancer ?

....

....

■ [29] En cas de traitement conservateur, quel est le rythme des FCU durant le suivi ?

....

....

■ [30] Qu'est-ce qu'une trachélectomie ?

....

....

■ [31] En cas de lésion intra-épithéliale traitée par conisation, quel est le rythme de suivi par frottis et test HPV ?

....

....

■ [32] Quel traitement est à instaurer en cas de ménopause provoquée par le traitement ?

....

....

297. Tumeurs du col utérin, tumeur du corps utérin

↪ Diagnostiquer une tumeur du col utérin
et du corps utérin.

➤ RÉPONSES P. 264

■ [1]   Quel est le symptôme majeur faisant évoquer systématiquement un cancer de l'endomètre ?

....

....

■ [2]   Quels sont les 3 principaux facteurs de risque de cancer de l'endomètre ?

....

....

■ [3]   À quel stade sont principalement diagnostiqués les cancers de l'endomètre ?

....

....

■ [4]   Quel est le principal facteur de risque héréditaire de cancer de l'endomètre ?

....

....

■ [5]   Quels sont les critères pour proposer une recherche d'instabilité micro-satellite (MSI) à une patiente atteinte d'un cancer de l'endomètre ?

....

....

■ [6]   Pourquoi aucun test de dépistage du cancer de l'endomètre n'est actuellement utilisé ?

....

....

■ [7]   Quels sont les principaux types anatomopathologiques de cancer de l'endomètre?

....

....

■ [8]   Quels sont les 2 outils permettant de réaliser des biopsies de l'endomètre durant un examen clinique

....

....

■ [9]   Quel est le déroulement d'une échographie pelvienne à la recherche d'un cancer de l'endomètre?

....

....

■ [10] Quels sont les objectifs de l'hystéroscopie?

....

....

■ [11] Quel geste complète généralement une hystéroscopie?

....

....

■ [12] En post ménopause, quelle est l'épaisseur de l'endomètre faisant parler d'hyperplasie?

....

....

■ [13] Sur quels examens repose le bilan d'extension?

....

....

■ [14] Quels sont les principaux éléments donnés par l'examen anatomo-pathologique de biopsies endométriales ?

....

....

■ [15] Quelles autres précisions anatomopathologiques doivent être apportées par l'analyse de la pièce opératoire ?

....

....

■ [16] Quel est le traitement de référence du cancer de l'endomètre ?

....

....

■ [17] Quel est le principal traitement adjuvant du cancer de l'endo-mètre ?

....

....

■ [18] Quel traitement peut être discuté en situation palliative lorsque la chimiothérapie n'est pas applicable ?

....

....

■ [19] Quel traitement médicamenteux proposer après une chirurgie complète (situation curative) du cancer de l'endomètre à 40 ans ?

....

....

■ [20] Quel est le principal facteur pronostic du cancer de l'endomètre ?

....

....

■ [21]   Quels sont les autres principaux facteurs pronostiques ?

....

....

■ [22]   Sur quels éléments repose le suivi du cancer de l'endomètre traité ?

....

....

298. Tumeurs du colon et du rectum

↪ Diagnostiquer une tumeur du colon
et une tumeur du rectum.

↪ Planifier le suivi du patient.

➤ RÉPONSES P. 266

■ [1] Quelle est la place du cancer colorectal en terme de décès annuels parmi tous les cancers dans la population générale ?

....

....

■ [2] Quels sont les examens endoscopiques du colon et du rectum, par ordre de complexité ?

....

....

■ [3] Quel est le principal risque de la coloscopie totale ?

....

....

■ [4] Quels sont les 4 types anatomopathologiques de polype (tumeur bénigne) colo-rectal ?

....

....

■ [5] Quelle est la proportion de la population ayant au moins un polype colo-rectal à 65 ans ?

....

....

■ [6] Quelle est la forme pré-cancéreuse de la majorité (80 %) des cancer colo-rectaux ?

....

....

■ [7] À quoi correspond un polype adénomateux avec dysplasie de haut grade ?

....

....

■ [8] Quel est le traitement de référence d'un adénome colo-rectal ?

....

....

■ [9] Quels sont les 2 principaux risques de la polypectomie endoscopique ?

....

....

■ [10] Quel geste complémentaire peut être réalisé en cas d'histologie défavorable ou de marges de résection envahies ?

....

....

■ [11] Qu'est-ce que la mucosectomie endoscopique ?

....

....

■ [12] Sur 100 adénomes colo-rectaux, combien dépasseront 1 cm ? et combien deviendront des cancers dans un délai de 10 à 20 ans ?

....

....

■ [13] Après traitement d'un adénome colo-rectal > 1 cm et/ou avec contingent villeux, quel sera le suivi coloscopique ?

....

....

■ [14]   Quels sont les 4 principaux facteurs de risque non environnementaux de cancer colorectal ?

....

....

■ [15]   Quels sont les 5 principaux facteurs de risque environnementaux de cancer colorectal ?

....

....

■ [16]   Quels sont les 3 facteurs de risque de transformation d'un adénome en adénocarcinome colo-rectal ?

....

....

■ [17]   Quel est le mode de transmission de la Polypose Adénomateuse Familiale ?

....

....

■ [18]   Quel est le mode de transmission du syndrome de Lynch ?

....

....

■ [19]   Quel est le mode de transmission de la polypose associée au gène MYH ? (MAP)

....

....

■ [20]   Quelle est la proportion de cancers colo-rectaux d'origine familiale ?

....

....

■ [21]   Quels sont les 3 éléments principaux de l'interrogatoire en cas de recherche d'un cancer colo-rectal ?

....

....

■ [22]   Quels sont les 4 principaux signes fonctionnels évoquant un cancer colorectal, faisant réaliser une coloscopie à visée diagnostique d'emblée ? (dépistage individuel)

....

....

■ [23]   Quels sont les 4 éléments principaux de l'examen physique pour rechercher un cancer colo-rectal ?

....

....

■ [24]   Quel est le principal type histologique de cancer colo-rectal ?

....

....

■ [25]   À qui s'adresse le dépistage du cancer colo-rectal ? (1 réponse générale)

....

....

■ [26]   Quelle est la population à risque TRÈS ÉLEVÉ de cancer colo-rectal ?

....

....

■ [27] Que proposer à la population à risque TRÈS ÉLEVÉ de cancer colo-rectal ?

....

....

■ [28] Quels sont les 2 autres types principaux de cancers associés à la PAF ?

....

....

■ [29] Quelle est la population à risque ÉLEVÉ de cancer colo-rectal ?

....

....

■ [30] Quel est le dépistage du cancer colo-rectal pour les populations à risque ÉLEVÉ ?

....

....

■ [31] Quelle est la population à risque MOYEN de cancer colo-rectal ?

....

....

■ [32] Quel est le dépistage du cancer colo-rectal pour la population à risque MOYEN ?

....

....

■ [33] En cas de coloscopie totale normale après un test de dépistage positif, quelle est la conduite à tenir ?

....

....

■ [34]   En cas de test de dépistage normal chez un patient symptomatique, quelle est la conduite à tenir ?

....

....

■ [35]   Quel est l'examen diagnostic du cancer colo-rectal ?

....

....

■ [36]   Quelles sont les 3 indications à la coloscopie virtuelle, par TDM après préparation colique ?

....

....

■ [37]   Quel est le bilan d'extension du cancer du colon ?

....

....

■ [38]   Quel est le bilan d'extension minimal du cancer du rectum ?

....

....

■ [39]   Quels sont les examens optionnels du bilan d'extension du cancer colo-rectal ?

....

....

■ [40]   Quelle est l'utilité principale du dosage de l'Antigène Carcino-Embryonnaire (ACE) ?

....

....

■ [41]   Quelle est la proportion de cancers colo-rectaux diagnostiqués au stade métastatique ?

....

....

■ [42]   Quelle est la proportion de patients dénutris lors du diagnostic ?

....

....

■ [43]   Quelles localisations de cancers colo-rectaux nécessitent une radio-thérapie néo-adjuvante ou adjuvante dans certaines indications ?

....

....

■ [44]   Quel est le T1 du cancer colo-rectal ?

....

....

■ [45]   Quel est le T2 du cancer colo-rectal ?

....

....

■ [46]   Quel est le T3 du cancer colo-rectal ?

....

....

■ [47]   Quel est le T4a du cancer colo-rectal ?

....

....

■ [48]   Quel est le T4b du cancer colo-rectal ?

....

....

■ [49]   À quoi correspond un cancer colo-rectal stade 1 ?

....

....

■ [50]   Quel est le traitement de référence d'un cancer colique ou du tiers supérieur du rectum (intra-péritonéal) stade I ?

....

....

■ [51]   Quel est le traitement de référence d'un cancer des deux tiers inférieurs du rectum (extra-péritonéal) stade I ?

....

....

■ [52]   À quoi correspond un cancer colo-rectal stade IIa ?

....

....

■ [53]   À quoi correspond un cancer colo-rectal stade IIb ?

....

....

■ [54]   À quoi correspond un cancer colo-rectal stade IIc ?

....

....

■ [55]   Quel est le traitement de référence d'un cancer colique ou du tiers supérieur du rectum (intra-péritonéal) stade II ?

....

....

■ [56]   Quels sont les facteurs de risque de récidive d'un cancer colo-rectal ?

....

....

■ [57]   Quel est le traitement de référence d'un cancer des deux tiers inférieurs du rectum stade II ?

....

....

■ [58]   À quoi correspond un cancer colo-rectal stade III ?

....

....

■ [59]   À quoi correspond N1 a, b et c dans le TNM 2010 (7e édition) ?

....

....

■ [60]   À quoi correspond N2 a et b dans le TNM 2010 ?

....

....

■ [61]   Quelles sont les principales chimiothérapies cytotoxiques utilisées dans le cancer colo-rectal ?

....

....

■ [62] Quelles sont les principales thérapies ciblées utilisées dans le cancer colo-rectal métastatique ?

....

....

■ [63] Quel est le traitement de référence d'un cancer colique ou du tiers supérieur du rectum (intra-péritonéal) stade III ?

....

....

■ [64] Quel est le traitement de référence d'un cancer des deux tiers inférieurs du rectum stade III ?

....

....

■ [65] À quoi correspond un cancer colo-rectal stade IV ?

....

....

■ [66] À quoi correspond M1 a et b dans le TNM 2010 ?

....

....

■ [67] Quels sont les 3 principaux éléments de la décision thérapeutique carcinologique d'un cancer colo-rectal stade IV ?

....

....

■ [68] Quelles sont les modalités détaillées du traitement chirurgical curatif du cancer du rectum ?

....

....

■ [69] Quelles sont les 3 types de complications spécifiques à la chirurgie du cancer du rectum ?

....

....

■ [70] Quelle est la principale complication à long terme de la chimiothérapie du cancer colo-rectal ?

....

....

■ [71] Selon les recommandations, quel est le nombre minimum de ganglions loco-régionaux à rechercher et à examiner pour établir le N du TNM ?

....

....

■ [72] Quels sont les 6 principaux éléments que doivent indiquer le compte-rendu anatomopathologique de l'exérèse d'un traitement chirurgical curatif ?

....

....

■ [73] Chez quels patients est-il impératif de rechercher une instabilité micro-satellite (MSI) sur l'exérèse d'une tumeur colo-rectale ?

....

....

■ [74] Quels sont les 3 situations principales amenant à proposer une consultation d'oncogénétique à un patient atteint d'un cancer colo-rectal ?

....

....

■ [75]   Dans quelle situation principale, et pourquoi rechercher une mutation de K-RAS?

....

....

■ [76]   Pour quels stades de cancer du colon et du haut rectum peut-on discuter une chimiothérapie adjuvante?

....

....

■ [77]   Pours quels stades de cancer du bas et du moyen rectum peut-on proposer en RCP l'association d'une chimiothérapie néoadjuvante à la radiothérapie néoadjuvante?

....

....

■ [78]   Quels sont les éléments à respecter en pré-opératoire en cas de chirurgie programmée avec certitude/haut risque de colostomie?

....

....

■ [79]   En l'absence de récidive, quelle est la durée de surveillance d'un patient après traitement curatif d'un cancer colo-rectal?

....

....

■ [80]   Quels sont les 5 éléments du suivi d'un cancer colo-rectal après traitement curatif?

....

....

■ [81] Dans le suivi du cancer colo-rectal, à quel rythme l'examen clinique doit-il être répété ?

....

....

■ [82] Dans le suivi du cancer colo-rectal, à quel rythme la coloscopie TOTALE doit-elle être répétée ?

....

....

■ [83] Quelle est la surveillance globale d'un syndrome de Lynch après découverte d'un cancer colo-rectal ?

....

....

■ [84] Quelle est la survie à 5 ans d'un cancer colo-rectal localisé ?

....

....

■ [85] Quelle est la survie à 5 ans d'un cancer colo-rectal localement avancé ?

....

....

■ [86] Quelle est la survie à 5 ans d'un cancer colo-rectal métastatique ?

....

....

■ [87] En cas de prédisposition génétique, quels sont les seconds cancers principalement observés après un cancer colo-rectal ?

....

....

299. Tumeurs cutanées, épithéliales et mélaniques

- ↪ Diagnostiquer une tumeur cutanée, épithéliale ou mélanique.
- ↪ Planifier le suivi du patient.

➤ RÉPONSES P. 274

■ [1]   Quel est l'âge moyen au diagnostic de mélanome cutané : 45, 55, 65 ou 75 ans ?

....

....

■ [2]   Quelle proportion des mélanomes cutanés apparaissent en peau saine, et ne résultent pas de l'évolution d'un naevus existant ?

....

....

■ [3]   Quels sont les 3 principaux tissus atteints par les mélanomes malins ?

....

....

■ [4]   Quelle est l'évolution de l'incidence du mélanome cutané ?

....

....

■ [5]   Quels sont les principaux facteurs de risques non modifiables de mélanome cutané ?

....

....

■ [6]   Quels sont les principaux facteurs de risques modifiables de mélanome cutané ?

....

....

■ [7] Quel est le dépistage du mélanome cutané recommandé pour les personnes à risque ?

....

....

■ [8] Sur quoi repose le diagnostic CLINIQUE de mélanome par tout médecin ?

....

....

■ [9] Quel est le moyen mnémotechnique permettant de d'identifier un naevus à risque ?

....

....

■ [10] À partir de combien de critères de naevus à risque doit-on réaliser une exérèse de la lésion ?

....

....

■ [11] Sur quel examen repose la confirmation diagnostique ?

....

....

■ [12] Que doit préciser le compte-rendu anatomopathologique d'une exérèse d'un mélanome malin ?

....

....

■ [13] Quelle analyse complémentaire est intéressante à rechercher en biologie moléculaire dans les mélanomes malins en situation métastatique?

....

....

■ [14] Quelle est la définition de l'indice de Breslow?

....

....

■ [15] Quels sont les 2 principaux éléments recherchés à l'examen anatomopathologique modifiant l'interprétation de l'indice de Breslow?

....

....

■ [16] Quels sont les 2 éléments permettant de classer le mélanome dans la classification pTNM de l'UICC et l'AJCC?

....

....

■ [17] Qu'est-ce qu'un mélanome malin de stade I (A ou B)?

....

....

■ [18] Qu'est-ce qu'un mélanome ulcéré de plus de 4 mm sans ganglions ni métastases?

....

....

■ [19] Qu'est-ce qu'un mélanome malin de stade II (A ou B)?

....

....

■ [20]   Qu'est-ce qu'un mélanome avec métastases ganglionnaires ?

....

....

■ [21]   Quels examens diagnostiques sont nécessaires au bilan d'extension
         d'un mélanome de stade I AJCC ?

....

....

■ [22]   Quels examens diagnostiques sont nécessaires au bilan d'extension
         d'un mélanome de stade IIA et IIB AJCC ?

....

....

■ [23]   Quels examens diagnostiques sont nécessaires au bilan d'extension
         d'un mélanome de stade IIC et III AJCC ?

....

....

■ [24]   Quel est le nom du premier ganglion du premier relai ganglionnaire
         drainant le territoire du mélanome cutané ?

....

....

■ [25]   Quelles sont les 2 options chirurgicales pour l'évaluation du statut
         ganglionnaire ?

....

....

■ [26]   Quel est le traitement de référence du mélanome malin ?

....

....

■ [27] Quelle est la marge chirurgicale sur le plan profond d'un mélanome cutané ?

....

....

■ [28] Quelle est la marge chirurgicale latérale recommandée d'un mélanome cutané in situ ?

....

....

■ [29] Quelle est la marge chirurgicale latérale recommandée d'un mélanome cutané avec un indice de Breslow de 0 à 1 mm ?

....

....

■ [30] Quelle est la marge chirurgicale latérale recommandée d'un mélanome cutané avec un indice de Breslow de 1 à 2 mm ?

....

....

■ [31] Quelle est la marge chirurgicale latérale recommandée d'un mélanome cutané avec un indice de Breslow de 2 à 4 mm ?

....

....

■ [32] Quelle est la marge chirurgicale latérale recommandée d'un mélanome cutané avec un indice de Breslow de plus de 4 mm ?

....

....

■ [33]   Quelle est la marge chirurgicale latérale recommandée pour les mélanomes de Dubreuilh non invasifs ?

....

....

■ [34]   Quel est le traitement d'un mélanome cutané de stade I ?

....

....

■ [35]   Quel est le traitement d'un mélanome cutané de stade II ?

....

....

■ [36]   Quel est le traitement d'un mélanome cutané de stade III ?

....

....

■ [37]   Quel est le traitement d'un mélanome cutané de stade IV ?

....

....

■ [38]   Quel est l'anticorps monoclonal actuellement indiqué dans le traitement du mélanome cutané avancé (non résécable ou métastatique) avec mutation de BRAF ?

....

....

■ [39]   Quel est l'inhibiteur de tyrosine kinase actuellement indiqué dans le traitement du mélanome cutané avancé (non résécable ou métasta-tique) avec mutation de BRAF ?

....

....

■ [40]   Quelle est la durée recommandée de l'immunothérapie par interféron alpha pour les mélanomes cutanés de stade II avec un indice de Breslow > 1,5 mm ?

....

....

■ [41]   Quel est l'effet secondaire principal à court terme de l'interféron alpha ?

....

....

■ [42]   Quels éléments majeur de l'ETP (Éducation Thérapeutique du Patient) sont particulièrement importants dans le suivi d'un mélanome malin après traitement curatif ?

....

....

■ [43]   Quelles sont les 3 étapes de l'auto-examen cutané qu'il faut enseigner au patient ?

....

....

■ [44]   Que doit être systématiquement proposé à la famille ?

....

....

■ [45]   Quel est le principal élément du suivi d'un mélanome cutané ?

....

....

■ [46] Quels sont les 2 principaux critères pronostics du mélanome malin ?

....

....

■ [47] Quel est l'autre facteur pronostic important principalement pour les mélanomes cutanés fins (épaisseur < 1 mm) ?

....

....

■ [48] Quel est l'autre facteur pronostic pour les mélanomes cutanés métastatiques ?

....

....

■ [49] Quelle est la durée recommandée du suivi du mélanome cutané ?

....

....

■ [50] Quel est le rythme initial de surveillance d'un mélanome stade I ?

....

....

■ [51] Quel est le rythme initial de surveillance d'un mélanome stade II et III ?

....

....

■ [52] Quels sont les points majeurs de l'examen clinique durant le suivi d'un mélanome cutané ?

....

....

■ [53]   Quel est le pronostic à 5 ans d'un mélanome cutané localisé ?

....

....

CARCINOME ÉPIDERMOÏDE CUTANÉ (CEC)/ SPINO-CELLULAIRE

■ [54]   Quelles sont les différents modes de révélation d'un CEC ?

....

....

■ [55]   Quel est le principal facteur de risque de CEC ?

....

....

■ [56]   Quels sont les autres facteurs de risque de CEC ?

....

....

■ [57]   Quelle est la prévention primaire du CEC ?

....

....

■ [58]   Quelle est la prévention secondaire du CEC ?

....

....

■ [59]   Après la découverte d'un CEC, quelle est la probabilité pour le patient de développer une autre tumeur cutanée dans les 5 ans ?

....

....

■ [60] Quelle est la localisation histologique de la kératose actinique, précurseur du CEC ?

....

....

■ [61] Qu'est-ce qu'un « champ de cancérisation » ?

....

....

■ [62] Quels sont les traitements disponibles contre une kératose actinique ?

....

....

■ [63] Quelles sont les indications à biopsier une kératose actinique ?

....

....

■ [64] Quelle est la définition de la maladie de Bowen ?

....

....

■ [65] Quelles sont les 3 principales options thérapeutiques de la maladie de Bowen et du carcinome in situ (cis) ?

....

....

■ [66] Quelle est la principale localisation métastatique des CEC infiltrants ?

....

....

■ [67]   Quelles sont les 3 indications recommandées d'une biopsie d'un CEC ?

....

....

■ [68]   Quels sont les 6 critères CLINIQUES de mauvais pronostic des CEC infiltrants ?

....

....

■ [69]   Quels sont les 5 critères ANATOMOPATHOLOGIQUES de mauvais pronostic des CEC infiltrants ?

....

....

■ [70]   Quels sont les CEC de groupe 1 = à « très faible risque » de récidive/ métastases ?

....

....

■ [71]   Quels sont les CEC de groupe 2 = à « risque significatif » de récidive/ métastases ?

....

....

■ [72]   Quelle est la principale différence lors de la prise décision thérapeutique d'un CEC de goupe 1 et un CEC de groupe 2 ?

....

....

■ [73] Quels examens réaliser pour le bilan d'un CEC du groupe 1/très faible risque de récidive/métastase ?

....

....

■ [74] Quels examens réaliser pour le bilan d'un CEC du groupe 2/risque significatif de récidive/métastase ?

....

....

■ [75] Quelle est la conduite à tenir diagnostique en cas d'adénopathie suspecte cliniquement ?

....

....

■ [76] Dans quelles situations un traitement médical d'un CEC infiltrant est recommandé ?

....

....

■ [77] Quels sont les 3 impératifs du traitement chirurgical ?

....

....

■ [78] Quelles sont les marges chirurgicales latérales minimales pour l'exérèse d'un CEC du groupe 1 ?

....

....

■ [79] Quelles sont les marges chirurgicales latérales minimales pour l'exérèse d'un CEC du groupe 2 ?

....

....

■ [80] Quelle est la marge chirurgicale inférieure minimale pour l'exérèse d'un CEC du groupe 1 ou 2 ?

....

....

■ [81] En cas de traitement non chirurgical, quel préalable est impératif ?

....

....

■ [82] Quels sont les 5 traitements en alternatives à la chirurgie ?

....

....

■ [83] Quelle est la contre-indication majeure à la radiothérapie d'un CEC infiltrant ?

....

....

■ [84] Quel est le traitement de référence des CEC invasifs métastases en transit, après RCP ?

....

....

■ [85] Quel est le traitement de référence des CEC invasifs N+ ?

....

....

■ [86]   Quels sont les 3 éléments pronostiques principaux du compte-rendu histologique d'un curage ganglionnaire pour un CEC N+ ?

....

....

■ [87]   Quels sont les 2 principaux objectifs du suivi du CEC invasif ?

....

....

■ [88]   Quelle est la surveillance post-thérapeutique d'un CEC du groupe 1 ?

....

....

■ [89]   Quelle est la surveillance post-thérapeutique d'un CEC du groupe 2 ?

....

....

300. Tumeurs de l'estomac

↪ Diagnostiquer une tumeur de l'estomac.

➤ RÉPONSES P. 281

■ [1]   Quels sont les 3 grandes localisations anatomiques des cancers de l'estomac?

....

....

■ [2]   Quels sont les 2 principaux syndromes paranéoplasiques du cancer de l'estomac?

....

....

■ [3]   Quels sont les 2 principaux types histologiques de cancer de l'estomac?

....

....

■ [4]   Quels sont les 2 types d'adénocarcinome gastrique?

....

....

■ [5]   Quels sont les 3 facteurs de risque de cancer de l'estomac non liés à l'hérédité?

....

....

■ [6]   Quel est le résultat de l'examen direct d'Hélicobacter pylori

....

....

■ [7]   Quels sont les 2 types de cancer de l'estomac induits Hélicobacter pylori?

....

....

■ [8] Quelle est l'histoire naturelle de l'infection à Hélicobacter pylori conduisant à un cancer gastrique ?

....

....

■ [9] Quelles sont les 6 lésions pré-cancéreuses du cancer de l'estomac ?

....

....

■ [10] Quels sont les 3 facteurs de risques de cancer de l'estomac liés à l'hérédité ?

....

....

■ [11] En cas de suspicion de cancer gastrique, quel est le premier examen paraclinique à réaliser ?

....

....

■ [12] Quel est le principal examen du bilan d'extension d'un cancer de l'estomac ?

....

....

■ [13] Quels sont les autres examens utiles à la stadification pré-opératoire ?

....

....

■ [14]   Quel élément du bilan pré-thérapeutique est essentiel dans le cancer de l'estomac encore plus que pour les autres cancers ?

....

....

■ [15]   En cas de tumeur d'emblée métastatique, quel examen supplémentaire doit-on réaliser sur les biopsies de la tumeur ?

....

....

■ [16]   Quels sont les 2 critères faisant proposer une consultation d'onco-génétique ?

....

....

■ [17]   Quelles sont les recherches génétiques à effectuer en cas de suspicion de forme héréditaire ?

....

....

■ [18]   Quelle est la stratégie thérapeutique pour les cancers de stade T1-2 N0 M0 ?

....

....

■ [19]   Quelle est la stratégie thérapeutique pour les cancers de l'estomac plus avancés que T2 N0 M0 ?

....

....

■ [20] Quel est le principe thérapeutique des lymphomes du MALT (bas grade de malignité) de l'estomac?

....

....

■ [21] Quels sont les 3 points principaux du suivi nutritionnel des patients après traitement curatif du cancer de l'estomac?

....

....

■ [22] Quel est le facteur pronostic principal des adénocarcinomes gastriques?

....

....

■ [23] Quelle mesure doit être systématique chez les apparentés au 1er degré d'un patient atteint d'un cancer gastrique?

....

....

301. Tumeurs du foie, primitives et secondaires

⤷ Diagnostiquer une tumeur du foie primitive et secondaire.

➤ RÉPONSES P. 284

■ [1]   Quel est la nature principale des tumeurs hépatiques ?

....

....

■ [2]   Quelle proportion de carcinome hépato-cellulaire (CHC) se développe sur une hépatopathie, dont le traitement sera indissociable de celui du cancer ?

....

....

■ [3]   Quelles sont les 4 principales causes de cirrhose en France, par ordre de fréquence ?

....

....

■ [4]   Quelle cause de cirrhose hépatique est celle avec la plus forte croissance ?

....

....

■ [5]   Quelles sont les 2 hépatopathies prédisposant au CHC même en l'absence de cirrhose ?

....

....

■ [6]   Quel est le risque annuel pour un patient présentant une cirrhose de développer un CHC ?

....

....

■ [7] Quels conseils doivent accompagner le dépistage du CHC chez les patients présentant une hépatopathie prédisposante ?

....

....

■ [8] Quel est le rythme de surveillance d'une cirrhose à la recherche d'un CHC ?

....

....

■ [9] Quels sont les 2 examens de dépistage du CHC dans le suivi du cirrhotique ?

....

....

■ [10] Quel est le taux de survie à 5 ans des CHC, tous stades confondus ?

....

....

■ [11] Quels sont les 3 principaux éléments de l'évaluation du foie non tumoral ?

....

....

■ [12] En cas de terrain alcoolique, quelles sont les 2 principales comorbidités à rechercher ?

....

....

■ [13] Que doit faire réaliser la découverte d'un nodule hépatique lors du suivi d'une cirrhose ?

....

....

■ [14] Quels sont les 4 temps d'injection de produit de contraste ?

....

....

■ [15] Quelle est la principale indication de l'IRM hépatique ?

....

....

■ [16] Quelles sont les 2 lésions loco-régionales principales à rechercher à l'IRM ou au TDM hépatique ?

....

....

■ [17] Comment confirmer le diagnostic de CHC ?

....

....

■ [18] Quels sont les critères permettant de réaliser un traitement chirurgical sans preuve anatomopathologique préalable pour un nodule de 1 à 2 cm ? (mais preuve post-opératoire ++)

....

....

■ [19] Quels sont les critères permettant de réaliser un traitement chirurgical sans preuve anatomopathologique préalable pour un nodule > 2 cm ? (mais preuve post-opératoire ++)

....

....

■ [20] Quelle proportion de CHC bénéficie d'un traitement à visée curative ?

....

....

■ [21] Quels sont les 3 éléments clés de la décision thérapeutique ?

....

....

■ [22] Quel est le traitement de référence du CHC sur foie cirrhotique ?

....

....

■ [23] Quels sont les critères de Milan ?

....

....

■ [24] Quelle est la limite d'âge théorique pour la transplantation hépatique ?

....

....

■ [25] Quel est le traitement de référence des CHC sur foie non cirrhotique ?

....

....

■ [26]   Quels sont les 2 traitements curatifs recommandés lorsqu'il est impossible de réaliser le traitement de référence ?

....

....

■ [27]   Après les 2 traitements curatifs cités précédemment, quel est le taux de récidive tumorale intra-hépatique ?

....

....

■ [28]   Quelle est la principale cause de mortalité précoce en cas d'hépatectomie partielle sur foie cirrhotique ?

....

....

■ [29]   Quelle est la survie du CHC à 5 ans après traitement curatif de référence ?

....

....

■ [30]   Quelles sont les 2 principales modalités de chimiothérapie dans le CHC ?

....

....

■ [31]   Quelle est la thérapie ciblée la plus efficace sur le CHC ?

....

....

■ [32]   Quelle est la conduite à tenir en cas de découverte d'un nodule hépatique < 1 cm lors du suivi d'un patient cirrhotique ?

....

....

■ [33]   Quels sont les 3 principaux éléments faisant l'objet d'un suivi rapproché après transplantation hépatique ?

....

....

■ [34]   Quels sont les 3 éléments sur lesquels repose le suivi d'un CHC ?

....

....

302. Tumeurs de l'œsophage

↪ Diagnostiquer une tumeur de l'œsophage.

➤ RÉPONSES P. 286

■ [1] Quels sont les 2 grands types histologiques de cancer de l'œsophage ?

....

....

■ [2] Quels sont les 2 éléments à palper pour rechercher des lésions à distance lors de l'examen physique ?

....

....

■ [3] Quels sont les principaux facteurs de risque de carcinome épidermoïde de l'œsophage ?

....

....

■ [4] Quels sont les principaux facteurs de risque d'adénocarcinome de l'œsophage ?

....

....

■ [5] Quel est le signe clinique clé faisant craindre un cancer de l'œsophage ?

....

....

■ [6] Quel est le premier examen paraclinique à réaliser en cas de suspicion de cancer de l'œsophage ?

....

....

■ [7] Quel est le second examen clé du bilan du cancer de l'œsophage ?

....

....

■ [8] Citer 3 autres examens paracliniques du bilan d'extension

....

....

■ [9] Quels sont les principaux autres éléments du bilan pré-thérapeutique ?

....

....

■ [10] Dans quels cas une recherche immuno-histo-chimique peut-elle être proposée ?

....

....

■ [11] Quel est le traitement curatif de référence du cancer de l'œsophage ?

....

....

■ [12] Quelle précaution faut-il prendre lors de l'initiation la renutrition entérale d'un patient dénutri souffrant d'un cancer œsophagien opérable ?

....

....

■ [13] Quelle est la principale précaution que doit connaître le patient en cas d'alimentation entérale par sonde naso-gastrique ou gastrostomie ?

....

....

■ [14] Quel est le traitement recommandé des dysplasies de haut grade et carcinomes intra-muqueux ?

....

....

■ [15] Quel est le traitement recommandé dans les stades localisés ?

....

....

■ [16] Quel est le traitement recommandé dans les stades localement avancés ?

....

....

■ [17] Quel est le traitement recommandé dans les stades métastatiques ?

....

....

■ [18] Quels sont les 4 principaux examens du suivi du cancer de l'œsophage ?

....

....

■ [19] Quels sont les 4 objectifs majeurs du suivi d'un cancer de l'œsophage ?

....

....

■ [20] Quelles sont les 6 principales complications de l'œsophagectomie ?

....

....

■ [21] Quels sont les examens utiles au suivi du cancer de l'œsophage ?

....

....

303. Tumeurs de l'ovaire

↪ Diagnostiquer une tumeur de l'ovaire.

➤ RÉPONSES P. 288

■ [1] Face à une masse ovarienne, quels sont les 3 principaux diagnostics à évoquer ?

....

....

■ [2] À quels stades sont principalement découverts les cancers de l'ovaire ?

....

....

■ [3] Pourquoi sont-ils majoritairement découverts à ce stade ?

....

....

■ [4] Quel est le principal facteur de risque de cancer de l'ovaire ?

....

....

■ [5] Quels sont les facteurs de risques gynécologiques de cancer de l'ovaire ?

....

....

■ [6] Quels sont les facteurs diminuant le risque de cancer de l'ovaire ?

....

....

■ [7] Quelle est l'histoire naturelle du cancer de l'ovaire ?

....

....

■ [8] Quel est le principal type anatomopathologique de cancer de l'ovaire ?

....

....

■ [9] Quels sont les principaux types anatomopathologiques de cancer de l'ovaire ?

....

....

■ [10] Quel type anatomopathologique de cancer de l'ovaire représente une urgence diagnostique et thérapeutique ?

....

....

■ [11] Quels sont les 3 marqueurs des tumeurs germinales sécrétantes ?

....

....

■ [12] Quels sont les 3 principaux marqueurs biologiques de cancer de l'ovaire (tous types histologiques confondus) ?

....

....

■ [13] Quel type histologique de tumeurs le principal marqueur du cancer de l'ovaire recherche-t-il ?

....

....

■ [14]   En cas de tumeur d'alluré bénigne à l'échographie, quelle est la conduite à tenir?

....

....

■ [15]   Quel terme faut-il atteindre avant de proposer une cœlioscopie à une femme enceinte porteuse d'un kyste organique de l'ovaire?

....

....

■ [16]   Quelle est la conduite à tenir en cas de kystes organiques bénins à l'échographie (kyste dermoïde, kyste endométriosique...)?

....

....

■ [17]   Que réaliser chez une femme ménopausée chez qui est découvert un kyste de plus de 5 cm?

....

....

■ [18]   Citer 6 des 9 critères échographiques de malignité d'une tumeur de l'ovaire?

....

....

■ [19]   Quels sont les 3 examens paracliniques du bilan DIAGNOSTIC d'imagerie pouvant compléter le bilan initial?

....

....

■ [20]   Quel est le principal examen d'imagerie du bilan d'EXTENSION du cancer de l'ovaire ?

....

....

■ [21]   Que réaliser en cas de critères de kyste organique bénin à l'échographie ?

....

....

■ [22]   Quelle est la conduite à tenir face à une tumeur de l'ovaire ne présentant pas tous les critères de bénignité à l'échographie, quel que soit l'âge ?

....

....

■ [23]   En cas de symptômes pouvant faire évoquer un cancer de l'ovaire, quels sont les 2 premiers examens ?

....

....

■ [24]   Comment est déterminé le stade FIGO du cancer de l'ovaire ?

....

....

■ [25]   En cas de suspicion de métastase ovarienne d'une tumeur non diagnostiquée, quels sont les examens paracliniques à réaliser ?

....

....

■ [26] En cas de carcinose péritonéale, comment sera posé le diagnostic de cancer de l'ovaire ?

....

....

■ [27] Quel est le premier temps du traitement du cancer de l'ovaire ?

....

....

■ [28] Quel est l'objectif majeur de la chirurgie du cancer de l'ovaire ?

....

....

■ [29] Que peut-on réaliser en cas de stadification incomplète et/ou de résection incomplète ?

....

....

■ [30] Que peut-on réaliser en cas de tumeur peu avancée chez une femme désirant préserver sa fertilité ?

....

....

■ [31] Que peut-on réaliser dans le cas d'une tumeur non résécable d'emblée ?

....

....

■ [32] En dehors du stade IA, quel traitement est réalisé après le premier temps chirurgical ?

....

....

■ [33]   Quels éléments de l'anamnèse doivent faire proposer une consultation d'oncogénétique après accord de la patiente ?

....

....

■ [34]   Quelles recherches génétiques doivent être réalisées en cas de contexte évocateur, après information sur les conséquences en cas de découverte d'une mutation ?

....

....

■ [35]   Quelles sont les conséquences en cas de recherche positive ?

....

....

■ [36]   Quel est le principal facteur pronostic du cancer de l'ovaire ?

....

....

■ [37]   Quelle est la principale thérapie ciblée utilisée dans le traitement du cancer de l'ovaire épithélial ?

....

....

304. Tumeurs des os primitives et secondaires

↪ Diagnostiquer une tumeur
   des os primitive et secondaire.

➤ RÉPONSES P. 293

■ [1] Quel est l'élément majeur du bilan biologique à contrôler en cas de suspicion de lésion osseuse ?

....

....

■ [2] Quel est le principal type histologique de tumeur osseuse ?

....

....

■ [3] Quelle est la triade symptomatique des tumeurs osseuses malignes ?

....

....

■ [4] Quelle est la caractéristique principale des douleurs osseuses de l'ostéome ostéoïde ?

....

....

■ [5] Quels sont les deux éléments caractéristiques de l'ostéome ostéoide à la radiographie standard ?

....

....

■ [6] Quelles sont les 4 principales causes de « vertèbre ivoire » ?

....

....

■ [7] Quels sont les 7 signes radiologiques orientant vers une cause maligne face à un tassement vertébral ?

....

....

■ [8]   Quel est le principal diagnostic différentiel d'une tumeur osseuse chez l'enfant ?

....

....

■ [9]   Quels sont les 3 principaux types anatomopathologiques de cancer primitif osseux bénin de l'enfant ?

....

....

■ [10] Quels sont les 2 principaux types anatomopathologiques de cancer primitif osseux malin de l'enfant ?

....

....

■ [11] Quels sont les 2 principaux types anatomopathologiques de cancer primitif osseux malin de l'adulte ?

....

....

■ [12] Quels sont les 6 principaux critères pour distinguer une tumeur bénigne d'une tumeur maligne à la radiographie standard ?

....

....

■ [13] Quelle est la localisation principale des ostéosarcomes ?

....

....

■ [14] Quelles sont les localisations principales des sarcomes d'Ewing ?

....

....

■ [15]   Quelles sont les 3 principales réactions du périoste constatées à la radio standard d'une tumeur osseuse maligne ?

....

....

■ [16]   Comment est porté le diagnostic de tumeur osseuse primitive de l'enfant ?

....

....

■ [17]   Quel est le traitement de référence des tumeurs osseuses malignes primitives de l'enfant ?

....

....

■ [18]   Quel est le bilan paraclinique diagnostic et d'extension commun à l'ostéosarcome et au sarcome d'Ewing ?

....

....

■ [19]   Quels sont les 2 examens biologiques utiles pour évaluer l'agressivité de la tumeur osseuse ?

....

....

■ [20]   Quel examen onco-génétique est réalisé dans le sarcome d'Ewing ?

....

....

■ [21] Quel examen complémentaire supplémentaire est réalisé dans le sarcome d'Ewing ?

....

....

■ [22] Quel est le bilan d'imagerie face à des métastases osseuses ?

....

....

■ [23] Quelle est l'évolution spontanée d'un fibrome non ossifiant ?

....

....

■ [24] Quels sont les 5 principaux cancers métastasant à l'os ?

....

....

■ [25] Quels sont les 2 traitements médicaux couramment utilisés en oncologie en cas de métastases osseuses ?

....

....

■ [26] Quels sont les 2 principaux effets indésirables communs à tous les traitements antirésorptifs osseux ?

....

....

■ [27] Quels sont les 3 éléments indispensables associés à la prescription d'un traitement antirésorptif osseux ?

....

....

■ [28]   Quelle est la définition de l'ostéonécrose de la mâchoire liée aux antirésorptifs osseux ?

....

....

■ [29]   Quels sont les principes du traitement en urgence d'un tassement vertébral malin ?

....

....

305. Tumeurs du pancréas

↪ Diagnostiquer une tumeur du pancréas.

➤ RÉPONSES P. 296

■ [1] Quel est le principal type anatomopathologique de tumeur maligne du pancréas ?

....

....

■ [2] Quels sont les principaux autres types anatomopathologiques de tumeurs du pancréas ?

....

....

■ [3] Quel est le moyen de diagnostiquer un insulinome ?

....

....

■ [4] Quelles sont les étiologies d'hypoglycémie organique à éliminer avant de réaliser le test diagnostique d'un insulinome ?

....

....

■ [5] Quels sont les principaux facteurs de risque de cancer du pancréas ?

....

....

■ [6] Quelle est la survie à 5 ans du cancer du pancréas, tous stades confondus ?

....

....

■ [7] Quelle est la principale localisation des cancers du pancréas ?

....

....

■ [8] Quels sont les 3 signes cliniques majeurs des cancers du pancréas ?

....

....

■ [9] Citer 2 modes de révélation atypique d'un cancer du pancréas ?

....

....

■ [10] Est-il utile de doser le CA 19.9 pour étayer le diagnostic cancer du pancréas, et pourquoi ?

....

....

■ [11] Comment obtenir le diagnostic de certitude d'une tumeur du pancréas avant une chimiothérapie ?

....

....

■ [12] Quelle est la proportion de cancers du pancréas opérable au moment du diagnostic ?

....

....

■ [13] Quel est l'examen de première intention en cas de suspicion de tumeur du pancréas ?

....

....

■ [14] Quel est l'examen systématique majeur du bilan d'extension du cancer du pancréas ?

....

....

■ [15] Quelles sont les contre-indications à un traitement chirurgical du cancer du pancréas, visibles sur la tomodensitométrie ?

....

....

■ [16] Quels sont les 3 groupes de patients identifiés après TDM, selon le traitement possible ?

....

....

■ [17] Quelle est la conduite à tenir en cas de doute sur la résécabilité après une TDM abdominale injectée ?

....

....

■ [18] Comment obtenir le diagnostic de certitude d'une tumeur du pancréas opérable ?

....

....

■ [19] Quel est le pronostic à 5 ans du cancer du pancréas en cas de traitement curatif (exérèse chirurgicale suivie d'une chimiothérapie adjuvante) ?

....

....

■ [20] Que faut-il réaliser avant de délivrer une chimiothérapie en cas de tumeur du pancréas comprimant les voies biliaires, avec ictère ?

....

....

■ [21] Quelle est la chirurgie recommandée en cas de tumeur résécable de la tête du pancréas chez un patient opérable?

....

....

■ [22] Quelle est la chirurgie recommandée en cas de tumeur résécable du corps ou de la queue du pancréas chez un patient opérable (plus rare car moins symptomatique initialement)?

....

....

■ [23] Quelle est la chimiothérapie adjuvante recommandée en première intention?

....

....

■ [24] Quels sont les examens nécessaires au suivi d'un cancer du pancréas?

....

....

306. Tumeurs du poumon, primitives et secondaires

↪ Diagnostiquer une tumeur du poumon primitive et secondaire.

↪ Planifier le suivi du patient.

↪ Argumenter l'attitude thérapeutique et planifier le suivi du patient.

➤ RÉPONSES P. 298

■ [1] Quelle est la proportion de cancers broncho-pulmonaires touchant la femme ?

....

....

■ [2] Combien de décès sont dus au cancer broncho-pulmonaire en France chaque année ?

....

....

■ [3] En terme de fréquence, quelle est la position du cancer broncho-pulmonaire chez l'homme parmi les autres cancers ? et chez la femme ?

....

....

■ [4] Chez quelle proportion de mésothéliomes malins est retrouvé une exposition à l'amiante ?

....

....

■ [5] Quels sont les 2 principaux facteurs de risque de cancer broncho-pulmonaire ?

....

....

■ [6] En cas de symptômes évoquant un cancer broncho-pulmonaire, quel examen est à réaliser en 1re intention ?

....

....

■ [7] Quelle est en général la signification d'une dysphonie ?

....

....

■ [8] Quels sont les 5 principaux symptômes du syndrome cave supérieur, compression de la veine cave supérieur par la tumeur ou des adéno-pathies ?

....

....

■ [9] Quels sont les symptômes du syndrome apico-costo-vertébral douloureux (syndrome de Pancoast-Tobias) pour des tumeurs de l'apex ?

....

....

■ [10] Quels sont les principaux syndromes paranéoplasiques du cancer broncho-pulmonaire ?

....

....

■ [11] En cas de persistance ou d'aggravation de symptômes, ou de persistance d'une image radiographique après traitement antibiotique probabiliste, quel examen est à réaliser ?

....

....

■ [12] En cas de suspicion d'exposition professionnelle, quelle est la première chose à faire pour le patient ?

....

....

■ [13]   Quelles sont les 4 démarches à effectuer auprès de la CPAM en cas de mésothéliome malin ou de cancer broncho-pulmonaire chez un patient exposé à l'amiante ?

....

....

■ [14]   Quels sont les 4 principaux sites métastatiques du cancer broncho-pulmonaire ?

....

....

■ [15]   Quels sont les 3 principaux types histologiques de cancer broncho-pulmonaire non à petites cellules ?

....

....

■ [16]   Quels marqueurs tumoraux du cancer broncho-pulmonaire sont à réaliser ?

....

....

■ [17]   Quels sont les différents moyens pour confirmer le diagnostic de cancer broncho-pulmonaire selon la localisation des lésions ?

....

....

■ [18]   Quel est le principal examen à réaliser dans les suites d'une ponction trans-bronchique ou trans-pariétale ?

....

....

■ [19]   Quel est le bilan paraclinique systématique à la recherche de lésions à distance ?

....

....

■ [20]   Quels sont les examens complémentaires supplémentaires à réaliser en cas de chirurgie ?

....

....

■ [21]   Quels sont les 3 résultats d'EFR (Épreuves Fonctionnelles Respiratoires) pouvant faire récuser la chirurgie thoracique ?

....

....

■ [22]   Quels sont les moyens pour confirmer le diagnostic de mésothéliome pleural ?

....

....

■ [23]   Quel traitement oncologique doit-on systématiquement réaliser après des biopsies pleurales lors d'un mésothéliome ?

....

....

■ [24]   Où sont généralement situés les carcinomes épidemoïdes broncho-pulmonaires ?

....

....

■ [25] Quel est le principal risque des traitements anti-angiogéniques dans le cadre des carcinomes épidermoïdes broncho-pulmonaires ?

....

....

■ [26] Qu'est-ce qu'un adécarcinome de forme bronchiolo-alvéolaire ?

....

....

■ [27] Quelle est la seule option thérapeutique curative du cancer broncho-pulmonaire non à petites cellules ?

....

....

■ [28] Quels sont les 3 principaux stades dans le TNM du cancer broncho-pulmonaire non à petites cellules ?

....

....

■ [29] Quel est le traitement de référence des cancers broncho-pulmonaires non à petites cellules (CBP-NPC) au stade 1, localisé ?

....

....

■ [30] Quel est le traitement de référence des cancers broncho-pulmonaires non à petites cellules (CBP-NPC) au stade 2, localisé ?

....

....

■ [31] Quel traitement invasif est envisageable aux stades 1 et 2 pour les patients non opérables ?

....

....

■ [32] À quoi correspond le TNM d'une tumeur de 2,5 cm avec nodule distinct dans le poumon controlatéral avec bilan d'extension normal, sans adénopathie ?

....

....

■ [33] Quel est le T1 du cancer broncho-pulmonaire ?

....

....

■ [34] Quel est le T2 du cancer broncho-pulmonaire ?

....

....

■ [35] Quel est le T3 du cancer broncho-pulmonaire ?

....

....

■ [36] Quel est le T4 du cancer broncho-pulmonaire ?

....

....

■ [37] À quoi correspond une tumeur N1 ?

....

....

■ [38] À quoi correspond une tumeur N2 ?

....

....

■ [39] À quoi correspond une tumeur N3 ?

....

....

■ [40] Quel est le traitement de référence des cancers broncho-pulmonaires non à petites cellules (CBP-NPC) au stade 3 ?

....

....

■ [41] Associé à la lobectomie/pneumonectomie durant une chirurgie thoracique du CBP-NPC, quel geste doit être réalisé ?

....

....

■ [42] Quel est le traitement de référence des cancers broncho-pulmonaires non à petites cellules (CBP-NPC) au stade IV, métastatique ?

....

....

■ [43] Quelles sont les principales chimiothérapies du CBP-NPC ?

....

....

■ [44] Quelle est la principale indication des thérapies ciblées dans le cancer broncho-pulmonaire non à petites cellules ?

....

....

■ [45] Quelle est la population répondant principalement à la principale indication des thérapies ciblées visant l'EGFR ?

....

....

■ [46] Quel type anatomopathologique correspond en général aux cancers ayant une indication aux thérapies ciblées visant l'EGFR ?

....

....

■ [47] Quelles sont les 2 principales thérapies ciblées utilisées dans le CBP-NPC ?

....

....

■ [48] Quelle est la particularité galénique des thérapies ciblées utilisées dans le cancer broncho-pulmonaire ?

....

....

■ [49] Quelles sont les 3 principales indications à une radiothérapie symptomatique hypofractionnée (1 à 10 séances) ?

....

....

■ [50] Quel est le traitement de référence des cancers broncho-pulmonaires à petites cellules localisés ?

....

....

■ [51]   Quel est le traitement de référence des cancers broncho-pulmonaires à petites cellules disséminés/métastatiques ?

....

....

■ [52]   Selon quels critères la seconde ligne de chimiothérapie du CBP à petites cellules est-elle adaptée ?

....

....

■ [53]   Quel est le traitement de référence du mésothéliome pleural malin ?

....

....

■ [54]   Quelles sont les 2 indications à la radiothérapie dans le mésothéliome pleural ?

....

....

■ [55]   En cas d'épanchement pleural récidivant, quel traitement proposer ?

....

....

■ [56]   Quels sont les 2 principaux effets indésirables de la chimiothérapie du cancer broncho-pulmonaire ?

....

....

■ [57]   Quels sont les effets indésirables principaux des thérapies ciblées ciblant l'EGFR ?

....

....

■ [58] Quels sont les effets indésirables principaux des thérapies ciblées anti-angiogéniques ?

....

....

■ [59] Quel est le principal effet indésirable aigu de la radiothérapie thoracique ?

....

....

■ [60] Quel est le principal effet indésirable tardif de la radiothérapie thoracique ?

....

....

■ [61] En post-opératoire d'une chirurgie thoracique, que faut-il évoquer systématiquement en cas de fièvre + toux, dyspnée, détresse respiratoire, bronchorrhée abdondante purulente/sanglante ?

....

....

■ [62] Que doit-on évoquer en cas de cancer broncho-pulmonaire + dysphonie/ troubles de la déglutition ?

....

....

■ [63] Quel est le zéro de l'item ?

....

....

■ [64] Quelle est l'évolution naturelle du carcinome bronchique à petites cellules au cours de son traitement ?

....

....

■ [65] Quelle est la surveillance du CBP-NPC ?

....

....

■ [66] En cas de métastases pulmonaires de type adénocarcinome, quelle technique permet de différencier un adénocarcinome bronchique d'un autre adénocacinome (colo-rectal...) ?

....

....

■ [67] En cas de métastases pulmonaires type adénocarcinome chez la femme, quel bilan réaliser ?

....

....

■ [68] En cas de métastases pulmonaires type adénocarcinome chez l'homme, quel bilan réaliser ?

....

....

307. Tumeurs de la prostate

➥ Diagnostiquer une tumeur maligne de la prostate.

➥ Planifier le suivi du patient.

➤ RÉPONSES P. 304

■ [1]   Quel est l'âge moyen au diagnostic de cancer de la prostate ?

....

....

■ [2]   Quelle est l'épidémiologie du cancer de la prostate ?

....

....

■ [3]   Quelle est la survie à 5 ans du cancer de la prostate (tous stades confondus) ?

....

....

■ [4]   Quel est le principal type anatomopathologique de cancer de la prostate ?

....

....

■ [5]   Quels sont les 2 facteurs de risques du cancer de la prostate ?

....

....

■ [6]   En cas de facteur de risque de cancer de la prostate, à partir de quel âge le dépistage individuel est-il recommandé ?

....

....

■ [7]   Pour quelle population la société française d'urologie conseille le dépistage individuel ciblé et éclairé annuel du cancer de la prostate ?

....

....

■ [8]   Quel est le principal inconvénient du dépistage du cancer de la prostate ?

....

....

■ [9]   Quels sont les deux éléments de dépistage individuel du cancer de la prostate dans la population générale ?

....

....

■ [10]   Quels sont les 3 principaux modes de découverte du cancer de la prostate au stade localisé ?

....

....

■ [11]   Quels sont les 3 principaux éléments à rechercher à l'interrogatoire d'un patient chez qui on suspecte un cancer de la prostate ?

....

....

■ [12]   Quel la valeur normale du dosage du PSA ?

....

....

■ [13]   Quel est la classe thérapeutique qui modifie le plus le PSA?

....

....

■ [14]   Quelles sont les 2 principales circonstances physiologiques en dehors du cancer de la prostate pouvant être responsable d'une élévation du PSA?

....

....

■ [15]   Devant une valeur élevée du PSA, quelles sont les 2 attitudes à adopter?

....

....

■ [16]   Comment confirmer le diagnostic d'adénocarcinome prostatique (avec détail des modalités du geste)?

....

....

■ [17]   Quelles sont les précautions à prendre avant de réaliser des biopsies de prostate?

....

....

■ [18]   Quels sont les 2 grands types de complications dans les suites de biopsies de prostate?

....

....

■ [19]   À quoi correspond un cancer de la prostate T1b ?

....

....

■ [20]   Comment est défini le stade TNM du cancer de la prostate ?

....

....

■ [21]   Quel est le T d'une tumeur envahissant moins de 50 % d'un seul lobe au toucher rectal ?

....

....

■ [22]   Quel est le T d'une tumeur avec un toucher rectal normal et des biopsies positives aux 2 lobes ?

....

....

■ [23]   À quoi correspondent les stades M1a, M1b et M1c ?

....

....

■ [24]   Donner la définition du score histo-pronostique de Gleason.

....

....

■ [25]   Pour quels types de cancers de prostate la classification de D'AMICO est-elle utilisée ?

....

....

■ [26] Quelle est la définition du faible risque d'un cancer de la prostate selon la classification de D'AMICO ?

....

....

■ [27] Quelle est la définition du risque intermédiaire d'un cancer de la prostate selon la classification de D'AMICO ?

....

....

■ [28] Quelle est la définition du haut risque d'un cancer de la prostate selon la classification de D'AMICO ?

....

....

■ [29] Quel est le bilan d'extension d'un cancer de la prostate localisé de faible risque ?

....

....

■ [30] Quels sont les 3 examens complémentaires à réaliser lorsqu'ils sont indiqués dans le bilan d'extension d'un cancer de la prostate ?

....

....

■ [31] Quand doit-on réaliser un bilan d'extension du cancer de la prostate ?

....

....

■ [32]   Quelles sont les 4 options thérapeutiques pour un cancer de la prostate localisé à faible risque selon la classification de D'AMICO ?

....

....

■ [33]   Quelles sont les 3 options thérapeutiques pour le stade localisé de risque intermédiaire du cancer de la prostate ?

....

....

■ [34]   Quelles sont les 2 options thérapeutiques curatives pour le stade localisé à haut risque du cancer de la prostate selon la classification de D'AMICO ?

....

....

■ [35]   Quelle est l'option thérapeutique curative pour le cancer de la prostate localement avancé, T3b ou T4 ?

....

....

■ [36]   Quelle est l'option thérapeutique première pour les cancers de la prostate métastasés N+ et/ou M+ ?

....

....

■ [37]   Quelles sont les classes thérapeutiques utilisées dans l'hormono-thérapie du cancer de la prostate ?

....

....

■ [38] Quel est le premier dosage à réaliser en cas d'hormonorésistance ?

....

....

■ [39] Quel est le premier site métastatique non ganglionnaire dans les cancers de prostate métastatiques ?

....

....

■ [40] En cas de tumeur hormonorésistante, quel autre traitement spécifique est à envisager ?

....

....

■ [41] Quelle est la chimiothérapie cytotoxique recommandée en 1re ligne du cancer de la prostate hormonorésistant ?

....

....

■ [42] Quels sont les 6 traitements majeurs du cancer prostatique avec métastases osseuses symptomatiques à discuter ?

....

....

■ [43] À quelle population s'adressent les traitements différés du cancer de la prostate ?

....

....

■ [44] Dans la surveillance active, quand démarrer le traitement ? Et quel type de traitement ?

....

....

■ [45] Quel dosage sanguin à visée diagnostique ne pas oublier en cas de vomissements chez un patient souffrant d'un cancer de prostate métastatique ?

....

....

■ [46] Dans l'abstention – surveillance clinique, quand démarrer le traitement ? Et quel type de traitement ?

....

....

■ [47] Quels sont les 5 principaux facteurs pronostiques du cancer de la prostate ?

....

....

■ [48] Quel est le rythme du suivi du cancer de la prostate localisé après traitement curatif ?

....

....

■ [49] Sur quels éléments repose le suivi d'un cancer de la prostate localisé après traitement curatif ?

....

....

■ [50]   En cas de tumeur métastatique ayant bien répondu, quels sont les 3 dosages spécifiques supplémentaires à réaliser durant le suivi ?

....

....

■ [51]   Après prostatectomie totale chirurgicale, quel est le seuil de positivité du PSA total faisant craindre une récidive ?

....

....

■ [52]   Après radiothérapie externe conformationnelle, quel est le seuil de positivité du PSA total faisant craindre une récidive ?

....

....

■ [53]   Sous hormonothérapie, quel est le seuil de positivité du PSA total faisant craindre une récidive ?

....

....

■ [54]   En cas d'élévation du PSA dans le suivi d'un cancer localisé ayant subi un traitement radical, quelle est la conduite à tenir ?

....

....

■ [55]   En cas d'élévation du PSA total dans le suivi d'un traitement sous hormonothérapie, avec testostéronémie effondrée, quelle est la conduite à tenir ?

....

....

■ [56]   Quels sont les 3 principaux effets indésirables à court terme de la prostatectomie radicale ?

....

....

■ [57]   Quel est le principal effet indésirable à long terme de la prostatectomie radicale ?

....

....

■ [58]   Quels sont les 2 principaux effets secondaires à court terme de la radiothérapie ?

....

....

■ [59]   Quels sont les 4 effets secondaires à long terme de la radiothérapie externe conformationnelle dans le cancer de la prostate ?

....

....

■ [60]   Effets secondaires à court terme ?

....

....

■ [61]   Quels sont les 4 principaux effets secondaires à long terme de l'hormonothérapie dans le cancer de la prostate ?

....

....

■ [62]   En cas de thrombopénie chez un patient souffrant d'un cancer prostatique métastatique, quelles hypothèses spécifiques discuter ?

....

....

■ [63]   Quel examen est particulièrement indispensable dans le bilan d'une insuffisance rénale aiguë chez un patient souffrant d'un cancer prostatique ?

....

....

308. Tumeurs du rein

↪ Diagnostiquer une tumeur du rein.

➤ RÉPONSES P. 309

■ [1]   Que réaliser en cas de cancer du rein avant 50 ans ?

....

....

■ [2]   Quel est le type histologique de tumeurs du rein le plus fréquent ?

....

....

■ [3]   Quel est le principal mode de découverte d'un cancer du rein de l'adulte ?

....

....

■ [4]   Quelle est la triade symtomatique du cancer du rein ?

....

....

■ [5]   En cas de thrombose veineuse rénale gauche (envahissement tumoral ou thrombose paranéoplasique), quel signe clinique est présent chez l'homme ?

....

....

■ [6]   Et en cas de thrombose de la veine cave inférieure ?

....

....

■ [7]   Quels sont les principaux syndromes paranéoplasiques retrouvés dans le cancer du rein ?

....

....

■ [8] Quels sont les facteurs de risque de cancer du rein ?

....

....

■ [9] Quel est l'examen de 1re intention face à une suspicion de cancer du rein ?

....

....

■ [10] À quels temps faut-il réaliser des coupes lors de l'imagerie injectée, afin de visualise au mieux une tumeur rénale ?

....

....

■ [11] Quel est le bilan d'extension à distance du cancer du rein ?

....

....

■ [12] Quelles sont les 2 indications à l'IRM abdominale pour le bilan du cancer du rein ?

....

....

■ [13] Quels sont les 5 principaux types anatomopathologiques de tumeur maligne du rein ?

....

....

■ [14] Quel est le principal risque de l'angio-myo-lipome, tumeur rénale bénigne de diagnostic radiologique ?

....

....

■ [15] Pour un patient opérable, quand sera obtenue la preuve diagnostique ?

....

....

■ [16] Quelle est la différence entre une tumeur T1 et T2 dans la classification TNM ?

....

....

■ [17] Quelles sont les 6 indications à réaliser une biopsies rénale percutanée, écho ou scanno-guidée ?

....

....

■ [18] Quelle est l'échelle histopronostique utilisée pour le grade du cancer du rein ?

....

....

■ [19] Quel est le traitement de référence du cancer du rein ?

....

....

■ [20] Quel est le facteur principal faisant choisir entre une chirurgie partielle ou élargie ?

....

....

■ [21]   Citer 4 des 6 facteurs pronostiques des cancers du rein métastatique ?

....

....

■ [22]   Quelle chirurgie peut-on proposer aux stades métastatiques de cancer du rein ?

....

....

■ [23]   Quels sont les 2 traitements médicaux les plus efficaces dans le cancer du rein métastatique ?

....

....

■ [24]   Quelles sont les principales thérapies ciblées utilisées dans le cancer du rein métastatique ?

....

....

■ [25]   Quelles sont les 2 indications à la radiothérapie externe en cas de cancer du rein ?

....

....

■ [26]   Quel est le principal site métastatique du carcinome à cellules claires rénal ?

....

....

■ [27]   Quels sont les 3 examens majeurs du suivi du cancer du rein traité ?

....

....

■ [28]   Avec quelles tumeurs le cancer du rein est-il retrouvé dans la maladie de von Hippel Lindau ?

....

....

■ [29]   Citer 2 autres phacomatoses responsables de cancers du rein

....

....

309. Tumeurs du sein

↪ Diagnostiquer une tumeur du sein.

↪ Planifier le suivi du patient.

➤ RÉPONSES P. 312

■ [1] Quelle est la proportion de cancers du sein parmi les nouveaux cas de cancers (tous cancers confondus) diagnostiqués chez la femme adulte ?

....

....

■ [2] Quels sont les 3 éléments principaux à recueillir à l'interrogatoire d'une femme chez qui un cancer du sein est suspecté ?

....

....

■ [3] Quels sont les principaux facteurs de risque de cancer du sein ?

....

....

■ [4] Quels antécédents familaux sont des facteurs de risque de cancer du sein ?

....

....

■ [5] Quelles pathologies mammaires sont des facteurs de risque de cancer du sein ?

....

....

■ [6] Quels éléments de l'histoire reproductive et hormonale sont des facteurs de risque de cancer du sein ?

....

....

■ [7] Comment rechercher une adhésion de la tumeur au muscle grand pectoral à l'examen clinique ?

....

....

■ [8] Quelle est la technique de dépistage organisé du cancer du sein ?

....

....

■ [9] Quelles images mammographiques nécessitent une biopsie percutanée pour analyse anatomopathologique ?

....

....

■ [10] Quand réaliser des macrobiopsies percutanées pour examen anato-mopathologique ?

....

....

■ [11] Dans le cancer du sein localisé, quelle est la principale contre-indi-cation à une chirurgie d'emblée ?

....

....

■ [12] Quand réaliser des micro-biopsies percutanées pour examen anato-mopathologique ?

....

....

■ [13] Qu'est-ce qu'une tumeur T1 du sein ?

....

....

■ [14]   Qu'est-ce qu'une tumeur T2 du sein ?

....

....

■ [15]   Qu'est-ce qu'une tumeur T3 du sein ?

....

....

■ [16]   Qu'est-ce qu'un cancer N1 du sein ?

....

....

■ [17]   Qu'est-ce qu'un cancer N2 du sein ?

....

....

■ [18]   Qu'est-ce qu'un cancer N3 du sein ?

....

....

■ [19]   Quels sont les 5 éléments cliniques faisant classer stade T4 un cancer du sein ?

....

....

■ [20]   Quels sont les traitements néo-adjuvants du cancer du sein ?

....

....

■ [21] Quelles sont les principales indications à la chimiothérapie néo-adjuvante ?

....

....

■ [22] Quels sont les examens paracliniques systématiques du bilan d'extension ?

....

....

■ [23] Quels sont les 4 types de traitements principaux du cancer du sein ?

....

....

■ [24] Que privilégier : mastectomie partielle ou totale ?

....

....

■ [25] En cas de curage ganglionnaire axillaire, quel est le nombre minimal de ganglions qui doivent être examinés en anatomopathologie ?

....

....

■ [26] Quels éléments sont recherchés lors de l'examen anatomopatho-logique ?

....

....

■ [27]   Quel élément doit être réalisé chez une personne âgée de plus de 75 ans ?

....

....

■ [28]   Quand peut être réalisée une reconstruction mammaire après chirurgie carcinologique ?

....

....

■ [29]   Quelles sont les 3 principales classes de molécules utilisées en 1re ligne de chimiothérapie dans le cancer du sein ne surexprimant pas HER2 ?

....

....

■ [30]   Quel type d'irradiation est réalisée après un traitement chirurgical conservateur ?

....

....

■ [31]   Quel type d'irradiation est réalisée après un traitement chirurgical non conservateur ?

....

....

■ [32]   Dans quel délai post-opératoire est réalisée la radiothérapie adjuvante ?

....

....

■ [33] Quand est obligatoire une exploration ganglionnaire axillaire dans la chirurgie du cancer du sein ?

....

....

■ [34] Quels éléments doivent figurer sur le schéma de l'examen clinique d'un cancer du sein ?

....

....

■ [35] Quelles sont les 2 alternatives pour explorer les ganglions axillaires ?

....

....

■ [36] Une irradiation axillaire est-elle fréquemment associée à l'irradiation mammaire dans le traitement du cancer du sein ?

....

....

■ [37] Quelles sont les indications de l'hormonothérapie dans le traitement du cancer du sein ?

....

....

■ [38] Quelles sont les indications de la chimiothérapie adjuvante dans le traitement du cancer du sein ?

....

....

■ [39] La chimiothérapie adjuvante est-elle réalisée avant ou après la radiothérapie adjuvante ?

....

....

■ [40] Quels sont les 2 facteurs pronostiques principaux de réponse à
certains traitements du cancer du sein ?

....

....

■ [41] Quels sont les facteurs pronostiques cliniques principaux de rechute
du cancer du sein ?

....

....

■ [42] Quels sont les facteurs pronostiques histologiques principaux de
rechute du cancer du sein ?

....

....

■ [43] Dans quel délai post-opératoire doit être débutée la chimiothérapie
adjuvante/thérapie ciblée dans le cancer du sein ?

....

....

■ [44] Quel est le bilan minimal en hôpital de jour avant la réalisation d'une
chimiothérapie adjuvante du cancer du sein ?

....

....

■ [45] À quelle chimiothérapie la thérapie ciblée visant le récepteur HER2 ne doit pas être associée ?

....

....

■ [46] Quelle est la durée de l'hormonothérapie du cancer du sein ?

....

....

■ [47] Quelle hormonothérapie chez une femme en pré-ménopause ?

....

....

■ [48] Quelle hormonothérapie chez une femme ménopausée ?

....

....

■ [49] Quelle hormonothérapie dans le cancer du sein chez l'homme ?

....

....

■ [50] Quand débuter l'hormonothérapie du cancer du sein ?

....

....

■ [51] Quelles tumeurs nécessitent une thérapie ciblée visant le récepteur HER2 (traztuzumab) ?

....

....

■ [52] Un carcinome in situ nécessite-t-il une hormonothérapie adjuvante?

....

....

■ [53] Citer 2 molécules cardiotoxiques fréquemment utilisées dans le traitement du cancer du sein

....

....

■ [54] Quel est l'effet indésirable principal des anti-aromatases à court terme pour les patientes?

....

....

■ [55] Quel est l'effet indésirable principal des anti-aromatases à long terme? Quelle surveillance en découle?

....

....

■ [56] Quels sont les effets indésirables principaux du tamoxifène? Quelle surveillance en découle?

....

....

■ [57] Quel est le premier site métastatique atteint par les carcinomes invasifs du sein?

....

....

■ [58] Quels sont les traitements spécifiques envisageables pour un cancer du sein métastasé, discuté en RCP?

....

....

■ [59] Quelle étiologie de lymphœdème/gros bras doit être systémati-quement éliminée en cas d'apparition, même post-opératoire d'un curage axillaire?

....

....

■ [60] En cas de tumeur métastatique en rémission avec reliquat tumoral en place, de quel traitement peut-on discuter?

....

....

■ [61] En cas d'apparition d'une démence, d'un déficit neurologique focal, céphalées... dans le suivi d'un cancer du sein, avec une imagerie cérébrale normale, quel examen réaliser?

....

....

■ [62] Quels sont les éléments de la surveillance du cancer du sein après un traitement curatif?

....

....

■ [63] Quels sont les 2 objectifs de l'ETP : «Éducation Thérapeutique du Patient?»

....

....

■ [64]   Quelles sont les précautions à prendre pour le patient après un curage axillaire en prévention du lymphœdème ?

....

....

■ [65]   Chez une femme âgée, avec une tumeur hormonosensible lentement évolutive, quelle peut être la décision palliative de la RCP ?

....

....

■ [66]   Quels sont les 2 effets secondaires tardifs (> 6 mois) les plus fréquents de la radiothérapie du sein ?

....

....

■ [67]   Quels sont les 2 traitements du lymphœdème/gros bras ayant prouvé leur efficacité ?

....

....

■ [68]   Quelles sont les principales tumeurs bénignes du sein ?

....

....

■ [69]   Quelle tumeur bénigne est fréquente chez la femme vers 45 ans, avec une croissance assez rapide, hypoéchogène voire hétérogène à l'échographie ?

....

....

■ [70] Quel est le traitement des tumeurs phyllodes du sein ?

....

....

■ [71] Quelle est la surveillance d'une tumeur phyllode ?

....

....

■ [72] Quelle tumeur bénigne est fréquente chez la femme jeune, bien limitée, élastique, mobile et isolée, homogène et de grand axe parallèle à la peau à l'échographie ?

....

....

■ [73] Citer 3 indications opératoires des adénofibromes du sein ?

....

....

■ [74] En l'absence d'indication opératoire d'un adénofibrome du sein, quelle en est la surveillance ?

....

....

■ [75] Quelle tumeur bénigne molle, de même tonalité que le sein à la mammographie, représente un sein dans le sein à l'anatomopathologie ?

....

....

■ [76] Quelle est la lésion bénigne du sein apparaissant après un traumatisme (accident, chirurgie...) avec des signes inflammatoires en regard ?

....

....

■ [77] Quels sont les 4 contextes évidents d'écoulement mammelonnaire à rechercher ?

....

....

■ [78] Quels sont les examens complémentaires à réaliser en cas d'écoulement du mamelon ?

....

....

■ [79] Quelle est la principale étiologie tumorale à suspecter en cas d'écoulement mammaire ?

....

....

■ [80] Quelle est la technique chirurgicale à adopter pour le traitement radical d'un écoulement mammelonaire ?

....

....

■ [81] Qu'est-ce qu'un ensemble hétérogène de lésions bénignes associées ?

....

....

■ [82]   Quelle en est la cause ?

....

....

■ [83]   Quelle est la clinique de la mastopathie fibro-kystique ?

....

....

■ [84]   Quelle est la mammographie d'une mastopathie fibro-kystique ?

....

....

■ [85]   Quel est le traitement de la mastopathie fibro-kystique ?

....

....

310. Tumeurs du testicule

↪ Diagnostiquer une tumeur du testicule.

➤ RÉPONSES P. 319

■ [1]   Quelle est l'épidémiologie du cancer du testicule ?

....

....

■ [2]   Qu'est le signe de Chevassu ?

....

....

■ [3]   Qu'est-ce qui provoque une gynécomastie dans le cancer du testicule ?

....

....

■ [4]   Quels sont les 2 éléments facilement accessibles à la palpation recherchant un envahissement tumoral ?

....

....

■ [5]   Quels sont les deux principaux facteurs de risque de cancer du testicule ?

....

....

■ [6]   Quels sont les autres facteurs de risque de cancer du testicule ?

....

....

■ [7]   Quel est le 1er relai ganglionnaire atteint par les métastases de cancer du testicule ?

....

....

■ [8]   Quels sont les 3 principaux sites métastatiques viscéraux atteints par les cancers du testicule ?

....

....

■ [9]   En cas de suspicion clinique de cancer du testicule, quel est le premier examen paraclinique à réaliser ?

....

....

■ [10] Quel est le bilan paraclinique initial ?

....

....

■ [11] Quels sont les 3 marqueurs tumoraux principaux du cancer du testicule ?

....

....

■ [12] Quels sont les 3 principaux intérêts des marqueurs tumoraux dans le cancer du testicule ?

....

....

■ [13] Quelles sont les caractéristiques échographiques évocatrices de cancer du testicule ?

....

....

■ [14] Comment est confirmé le diagnostic ?

....

....

■ [15] Quelles sont les formes histologiques les plus fréquentes de cancer du testicule ?

....

....

■ [16] Quelle est le principal type anatomopathologique de tumeur germinale séminomateuse ?

....

....

■ [17] Quelle est le principal type anatomopathologique de tumeur germinale non séminomateuse ?

....

....

■ [18] Quel est l'élément médico-légal qui doit précéder le traitement du cancer du testicule ?

....

....

■ [19] Quel est le traitement premier et constant du cancer du testicule ?

....

....

■ [20] Quelle est la chimiothérapie de première intention, après orchidectomie, dans le traitement des tumeurs germinales non séminomateuses/ séminomes métastatiques ?

....

....

■ [21] Quels sont les 4 éléments à discuter lors de la RCP après le traitement premier ?

....

....

■ [22]   Quels sont les 2 examens paracliniques indispensables dans le bilan
          pré-thérapeutique en cas d'utilisation d'une chimiothérapie à base
          de bléomycine ?

          ....

          ....

■ [23]   Quels sont les deux éléments sur lesquels repose l'évaluation de la
          réponse au traitement ?

          ....

          ....

■ [24]   Quel est le pronostic à 5 ans du cancer du testicule au stade
          localisé ?

          ....

          ....

■ [25]   Quel est le pronostic à 5 ans du cancer du testicule au stade métas-
          tatique ?

          ....

          ....

■ [26]   Que le patient doit-il apprendre à réaliser tout au long de sa vie ?

          ....

          ....

■ [27]   Quels sont les facteurs pronostiques (bon/intermédiaire/mauvais) des
          tumeurs germinales testiculaires métastatiques (stades II et III) ?

          ....

          ....

311. Tumeurs vésicales

↪ Diagnostiquer une tumeur vésicale.

➤ RÉPONSES P. 321

■ [1]   Quelle est l'épidémiologie du cancer de la vessie?

....

....

■ [2]   Quel est le signe clinique majeur du cancer de vessie devant faire pratiquer des investigations?

....

....

■ [3]   Quel est le principal facteur de risque de cancer de vessie?

....

....

■ [4]   Quels sont les principaux facteurs de risque professionnels de cancer de vessie, menant à une déclaration de MP en cas d'exposition?

....

....

■ [5]   Quels sont les autres facteurs de risque de cancer de la vessie?

....

....

■ [6]   Que recherche principalement l'uro-scanner?

....

....

■ [7]   Quels sont les examens à visée diagnostique (hors histologie) à réaliser?

....

....

■ [8]   Que doit rechercher la cystoscopie, réalisée en consultation sans anesthésie locale ?

....

....

■ [9]   Comment est faite la confirmation diagnostique du cancer de vessie ?

....

....

■ [10] Quel élément majeur doit être vu par l'anatomopathologiste sur les fragments de tissu tumoral ?

....

....

■ [11] Quel est l'élément majeur pronostic du cancer de la vessie ?

....

....

■ [12] Quel est le pronostic du cancer de la vessie ?

....

....

■ [13] Lequel des 2 grands types de cancers de vessie est le plus fréquemment retrouvé ?

....

....

■ [14] En cas de tumeur infiltrante, quel examen d'imagerie doit être réalisé dans le bilan d'extension ?

....

....

■ [15] Quel est le traitement de référence du carcinome urothélial de vessie non infiltrant ?

....

....

■ [16] Quel traitement adjuvant est souvent proposé dans les suites d'un traitement conservateur ?

....

....

■ [17] Quel est le traitement de référence du carcinome urothélial de vessie infiltrant ?

....

....

■ [18] En cas de non opérabilité d'un cancer de vessie infiltrant, quelle alternative peut être proposée ?

....

....

■ [19] Quelle est la chimiothérapie la plus utilisée dans le cancer de vessie ?

....

....

■ [20] Quel traitement adjuvant est généralement réalisé en cas de tumeur infiltrant le muscle vésical ?

....

....

■ [21]   Quel est le principal risque à distance du traitement curatif d'un cancer de vessie non infiltrant ?

....

....

■ [22]   Quelle analyse complémentaire doit être réalisée sur la pièce anato-mopathologique d'un carcinome urothélial métastatique ?

....

....

■ [23]   Quel est l'examen fondamental du suivi des patients après traitement curatif par RTUP d'un cancer de vessie non infiltrant ?

....

....

■ [24]   Quels sont les 2 autres examens complémentaires du suivi ?

....

....

■ [25]   Quelle est la durée du suivi par cystoscopie annuelle après traitement curatif conservateur d'un cancer de la vessie ?

....

....

■ [26]   Quelle à quelle action le patient doit-il être sensibilisé et aidé ?

....

....

■ [27]   Quelles sont les 2 principales localisations des métastases du carcinome urothélial ?

....

....

Réponses

137. Soins palliatifs pluridisciplinaires chez un malade en phase palliative ou terminale d'une maladie grave, chronique ou létale. Accompagnement de la personne malade et de son entourage. Principaux repères éthiques

> **Recommandations et conférence de consensus pour approfondir :**
> - *HAS 2002 : les soins palliatifs*
> - *HAS 2008 : annoncer une mauvaise nouvelle*
> - *Programme gouvernemental de développement des soins palliatifs 2008 2012*
> - *InCa*
> - *Recommandations de la SFAP : Société Française d'Accompagnement et de soins Palliatifs*
> - *Soins palliatifs et accompagnement : INPES 2004*
> - *Douleur - Traitements antalgiques médicamenteux des douleurs cancéreuses : SOR 2002*
> - *Accompagnement des personnes en fin de vie : ANAES 2004*

[1] QUOI ?
  - Soins actifs et évolutifs
  - pluridisciplinaires
  - approche globale du patient

QUAND ?
  - Maladie incurable chronique et évolutive ou terminale

POUR QUI ?
  - S'adressent au patient
  - et à son entourage

POURQUOI ?
  - Améliorer la qualité (et non la quantité) de vie

[2] Loi Léonetti : arrêt des examens et soins inutiles, décision de limitation des soins

[3] Se poser des questions AVANT la rencontre avec le patient
  - Me concernant
  - Concernant la maladie

Obtenir des informations LORS de la rencontre avec le patient
- Concernant le patient
- Concernant l'environnement du patient

Se poser des questions EN FIN de rencontre avec le patient
- Lui ai-je laissé la possibilité de poser toutes ses questions ?
- Suis-je en mesure de savoir ce qu'il a compris ?
- Qu'a-t-il retenu de la consultation ?
- Pour la prochaine consultation : que me reste-t-il à lui dire ?

[4]   **L'isolation** : la charge affective se trouve séparée de la représentation à laquelle elle était rattachée.
Le déplacement : la charge affective est déplacée d'une représentation sur une autre, généralement moins menaçante.
La projection agressive : l'angoisse se trouve projetée sous forme d'agressivité sur l'entourage, souvent le médecin ou l'équipe soignante.
La régression : permet au patient de ne plus avoir à assumer les évènements mais de les laisser à la charge de l'autre.
Le déni : le patient se comporte comme si rien ne lui avait été dit.
Il peut passer d'une attitude à une autre dans le temps.

[5]   **L'identification projective** : vise à attribuer à l'autre ses propres sentiments, réactions, pensées ou émotions. Il permet au soignant de se donner l'illusion qu'il sait ce qui est bon pour le patient.
La rationalisation : discours hermétique et incompréhensible pour le patient.
La fausse réassurance : le soignant va optimiser les résultats médicaux en entretenant un espoir artificiel chez le patient.
La fuite en avant : le soignant, soumis à une angoisse imminente, ne trouve pas de solution d'attente et se libère de son savoir, « il dit tout, tout de suite et se décharge de son fardeau.
La banalisation
Le mensonge : il a pour objectif de « préserver » le patient.

[6]   Collégial : médecins, RCP, équipe soignante, information du patient, de la famille
Selon l'état général du patient, l'évolution de sa maladie, les traitements reçus...
Notifié dans le dossier du patient

[7]   Douleur physique, psychique, affective et spirituelle

[8]   #1 : directives anticipées, valables 3 ans
#2 : personne de confiance

[9]   Le médecin peut utiliser un traitement qui risque d'abréger la vie du patient si celui-ci lui apporte du confort (exemple de la morphine en cas de détresse respiratoire)

[10]   Dérivé morphinique en perfusion continue et bolus à la demande
        Midazolam : Hypnovel* en perfusion continue

[11]   Scopolamine (existe sous forme de dispositifs transdermiques agissant durant 72 h)

[12]   Principe d'autonomie
        Principe de bienveillance
        Principe de non-malfaisance

[13]   Humidification de la bouche
        Bains de bouche : bicarbonate (ajout d'un antifongique dans le bain de bouche en cas de candidose)

[14]   Unités d'hospitalisation de soins palliatifs (USP)
        Équipes mobiles de soins palliatifs (EMSP)
        Hospitalisation à domicile
        Réseau de soins palliatifs
        Lits identifiés « soins palliatifs » dans les services

138. Soins palliatifs pluridisciplinaires chez un malade en phase palliative ou terminale d'une maladie grave, chronique ou létale. La sédation pour détresse en phase terminale et dans des situations spécifiques et complexes en fin de vie. Réponse à la demande d'euthanasie ou de suicide assisté

Recommandations et conférence de consensus pour approfondir :

- *HAS 2002 : les soins palliatifs*
- *HAS 2008 : annoncer une mauvaise nouvelle*
- *HAS 2010 : la sédation en phase terminale*
- *Accompagnement des personnes en fin de vie : ANAES 2004*

[1]   Ne pas poursuivre les soins et traitements inutiles, pouvant être désagréables voire douloureux (prises de sang, anticoagulation préventive par injections sous cutanées quotidiennes, transfusions…)

[2] C'est la recherche, par des moyens médicamenteux, d'une diminution de la vigilance pouvant aller jusqu'à la perte de conscience. Son but est de diminuer ou de faire
La sédation peut être appliquée de façon intermittente, transitoire ou continue.

[3] Calmer la douleur (analgésie) ou l'anxiété (anxiolyse)
Diminuer la perception d'une situation perçue comme insupportable par le malade, alors que tous les moyens disponibles et adaptés à cette situation ont pu lui être proposés et/ou mis en œuvre sans permettre d'obtenir le soulagement escompté.

[4] **En phase terminale**
Complications aiguës à risque vital immédiat (hémorragies cataclysmiques, notamment extériorisées, de la sphère ORL, pulmonaire ou digestive, détresses respiratoires asphyxiques (sensation de mort imminente par étouffement avec réaction de panique).
Les symptômes réfractaires, selon la pénibilité du symptôme pour le patient.

[5] Midazolam (Hypnovel*)

[6] Équipe avec compétence en soins palliatifs (EMSP, USP...)
Un transfert en milieu hospitalier adapté doit être envisagé.

[7] Procédure collégiale multidisciplinaire
Intégrant le consentement du patient si possible, sinon selon ses directives anticipées, l'avis de la personne de confiance, ou à défaut de ses proches.
La décision de sédation doit être prise par le médecin en charge du patient, après avis d'un médecin compétent en soins palliatifs.
Information écrite dans le dossier du patient
Veiller à la compréhension l'ensemble de l'équipe des objectifs visés, les différenciant explicitement d'une pratique d'euthanasie.
Le patient doit être informé, avec tact et mesure, des objectifs, des modalités possibles, des conséquences et des risques de la sédation.

[8] Dilution dans du sérum physiologique pour une concentration de 1 mg/ml. Injection de 1 mg toutes les 2 à 3 minutes jusqu'à l'obtention d'un score de 4 sur l'échelle de Rudkin modifiée.
= patient avec les yeux fermés, mais répondant à une stimulation tactile légère
Entretien en injectant une dose horaire, en perfusion continue, égale à 50 % de la dose qui a été nécessaire pour obtenir un score de 4 sur l'échelle de Rudkin modifiée.
L'évaluation de la profondeur de la sédation se fait, chez l'adulte, toutes les 15 minutes pendant la première heure, puis au minimum 2 fois par jour.

198. Biothérapies et thérapies ciblées

> **Recommandations et conférence de consensus pour approfondir :**
> - *Cours nationaux de l'Institut Gustave Roussy*

[1]   Anticorps monoclonaux : fin de la DCI en « mab » (Monoclonal AntiBody) (ex : bevacizumab, trastuzumab…) : en perfusion veineuse
Inhibiteurs de tyrosine kinase : fin de la DCI en « nib » (ex : gefitinib, erlotinib…) : existent per os
Toutes ces thérapies visent un récepteur (EGFR, HER, PD1…) ou un ligand (VEGF, PDL1…) et bloquent la cascade d'activation de la prolifération tumorale.

[2]   Hypertension artérielle
Protéinurie

[3]   Efficacité initiale, puis échappement tumoral.
L'évaluation de la réponse au traitement est souvent difficile : pas toujours de diminution de la taille des lésions, mais nécrose, modifications de la répartition des produits de contraste radiologiques ou de médecine nucléaire

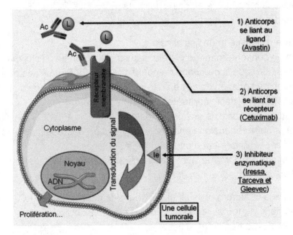

239. Goitre, nodules thyroïdiens et cancers thyroïdiens

Recommandations et conférence de consensus pour approfondir :
- *Guide ALD de l'HAS du 23/7/2010*
- *Collège des enseignants*

[1]   Femmes

[2]   Antécédent d'irradiation cervicale (radiothérapie dans l'enfance ++)
Pathologie thyroïdienne
Homme : nodules plus souvent malins que chez la femme
Âge < 15 ou > 60
Antécédents familiaux de cancer de la thyroïde ou NEM

[3]   Folliculaires (90 %) : papillaire (80 %), vésiculaire (10 %)...
Médullaire/à cellules C (syndrome carcinoïde)
Anaplasique (mauvais pronostic, urgence)

[4]   TSH : hyperthyroïdie = principalement adénome toxique

[5]   TSH
Calcémie : recherche systématique d'une pathologie thyroïdienne
Calcitoninémie : systématique en pré-opératoire
Dosage de la thyroglobuline sérique inutile

[6]   Échographie cervicale et thyroïdienne
Cytoponction à l'aiguille fine
(rarement : scintigraphie thyroïdienne, surtout si hyperthyroïdie)

[7]   Facteur de risque : ≥ 1
Caractéristiques échographiques : ≥ 1 suspect

[8]   Cytoponction systématique
Analyse cytologique

[9]   Croissance > 20 % ou 2 dimensions > 2 mm
Solide et HYPO-ÉCHOGÈNE
Micro-calcifications
Bords/limites imprécis
Plus haut que large
Vascularisation mixte (périphérique + centrale)

[10] Après traitement chirurgical curatif

[11] Chirurgical : thyroïdectomie totale
+/– traitement radio-isotopique complémentaire
Puis hormonothérapie freinatrice et substitutive à vie

[12] Ira-thérapie : radiothérapie interne vectorisée par l'Iode[131]
Après stimulation par la TSH : injection de TSH recombinante humaine ou
sevrage en LT4 durant 4 semaines
Suivi d'une scintigraphie thyroïdienne à 8 jours pour évaluer les reliquats

[13] Test de grossesse
Contraception > 6 mois
Éviter produits de contraste iodés 3 semaines, iode (bétadine,
amiodarone…)

[14] Analyse du gène RET : recherche d'une NEM 2 (consentement écrit)
(Néoplasie Endocrinienne Multiple)
!!! NEM 2 = phéochromocytome
!!! phéochromocytome + chirurgie = décès
Donc recherche en pré-op ++ méta/normétanéphrines

[15] 95 %
(anaplasique : < 10 % à 3 ans)
D'où en 2008 : 60 000 patients en ALD pour cancer de la thyroïde

[16] Examen clinique
Thyroglobuline
Anticorps anti thyroglobuline
Échographie cervicale
TSH pour adapter la substitution hormonale

287. Épidémiologie, facteurs de risque, prévention et dépistage des cancers

Recommandations et conférence de consensus pour approfondir :

- *Situation du cancer en France en 2012 : INCa*
- *Collège des enseignants*
- *Situation du cancer en France en 2012 : INCa*
- *Nutrition et prévention des cancers : PNNS 2009*
- *Cancer du sein : dépistage du cancer du sein en médecine générale : ANAES 2004*
- *Cancer du sein : dépistage par mammographie dans la population générale : ANAES 1999*
- *Cancer du col de l'utérus : Intérêt de la recherche des Papillomavirus (HPV) : ANAES 2004*
- *Cancer du col de l'utérus : prévention du cancer du col de l'utérus : CNGOF 2007*
- *Dépistage du cancer de la prostate par dosage du PSA : HAS 2012*
- *Cancer de la prostate : dépistage systématique par le dosage du PSA : ANAES 1998*

[1] 350 000 nouveaux cancers par an
  - *Hommes : 207 000 nouveaux cancers en 2011*
  - *Femmes : 158 000 nouveaux cancers en 2011*

[2] Première cause de décès devant les maladies cardio-vasculaires
  - 150 000 décès par an
  - *84 000 hommes en 2011*
  - *63 000 femmes en 2011*

[3] Cancer du poumon : 20 % de la mortalité par cancer

[4] Adénocarcinomes : épithéliums glandulaires
  Carcinomes épidermoïdes : épithéliums malpighiens

[5] Prévalence : 71 000/an
  = 1 homme sur 8

[6] 9 000/an

[7] 80 % si localisé
  10 % si métastatique

[8] Prévalence : 53 000/an = 1 femme sur 10

[9]   12 000/an

[10]   85 % tous stades confondus

[11]   Un cancer développé aux dépens du tissu conjonctif/de soutien/mésenchymateux

[12]   30 000/an

[13]   27 000/an

[14]   10 % tous stades confondus

[15]   40 000/an

[16]   17 000/an

[17]   65 %

[18]   10 000/an

[19]   1 500/an

[20]   INITIATION + PROMOTION
Immortalité/Dédifférenciation...
Dysrégulation génomique/Carcinogènes
– Prolifération
Perte de l'inhibition de contact
Indépendance...
– Invasion
Franchissement membrane basale
Angiogénèse
– Dissémination
Lymphatique : adénopathies métastatiques
Hématologiques : métastases viscérales
– C'est l'HISTOIRE NATURELLE de tout cancer

[21]   Leucémie aiguë
Lymphome de haut grade (Burkitt ++)
Tumeurs germinales
Cancer broncho-pulmonaire à petites cellules
Cancer du sein inflammatoire
Cancers de l'enfant/adolescent

[22]   Tx : non évalué
T0 : non détectable
T1 et T2 : tumeur limitée à l'organe
T3 : dépasse des limites de l'organe
T4 : organes de voisinage

[23] c = clinique

[24] p = pathologiste : histologie

[25] y = traitement néo-adjuvant effectué avant anatomopathologie

[26] Proto - oncogènes
Autosomiques dominants
Gènes suppresseurs de tumeurs
Autosomiques récessifs

[27] c-myc

[28] Bcr-abl

[29] APC

[30] BRCA 1 ou 2

[31] Augmentation : gros noyaux

[32] Sein
Colo-rectal
Poumon

[33] Prostate
Poumon
Colo-rectal
VADS

[34] Environnementaux
Génétiques
Infectieux
Professionnels
Iatrogènes

[35] Tabac (NPO vessie, pancréas, rein...)
Alcool
Alimentation - obésité
UVA-UVB

[36] La trisomie 21

[37] BRCA 1 et BRCA 2 (sein-ovaires)

[38] Maladie de von Hippel Lindau

[39] Cancer du cavum indifférencié
Lymphome de Burkitt
Maladie de Hodgkin

[40]   Sarcome de Kaposi

[41]   Lymphomes
        Léiomyosarcomes

[42]   Col de l'utérus +++ : sérotypes 16 et 18 principalement
        Cancers ORL (en augmentation)

[43]   Poussières de bois

[44]   Hémopathies : syndrome myélo-prolifératif, leucémie aiguë myéloïde

[45]   Cancer de l'endomètre

[46]   Leucémie aiguë myéloïde

[47]   Carcinome urothélial de vessie

[48]   Carcinomes épidermoïdes cutanés = carcinomes spino-cellulaires

[49]   Diminuer l'incidence
        En évitant les facteurs de risque

[50]   Diminuer la prévalence d'une maladie
        Par le dépistage pour traitement précoce efficace

[51]   Diminuer l'incapacité, handicap, rechutes...
        Par le suivi médico-psycho-social des patients

[52]   Fréquente, grave
        Diagnostic précoce diminue la mortalité
        Évolution naturelle connue, lente

[53]   Définie/connue
        Accessible/sensibilisée

[54]   Validé
        Simple
        Acceptable, peu invasif
        Reproductible
        Faible coût
        Sensible
        Test de confirmation existant, validé

[55]   Sein
        Colo-rectal
        Col de l'utérus (depuis peu, avant dépistage individuel)

[56]   Prostate : recommandé par l'AFU, très discuté
        Peau : mélanome & carcinome spino-cellulaire

[57] Organisé
Femmes de 50 à 74 ans
Examen clinique + mammographie (2 incidences)
Tous les 2 ans
Complété par des biopsies en cas de lésion suspecte ACR 4 ou 5, contrôle
à 6 mois en cas de lésion ACR3

[58] Organisé
Population entre 50 et 74 ans
Hémoccult II tous les 2 ans
Complété par une coloscopie totale en cas de positivité

[59] Organisé
Femmes entre 25 et 65 ans
Frottis cervico utérin tous les 3 ans après 2 consécutifs à 1 an
Complété par une colposcopie avec biopsies en cas de positivité

[60] Individuel, non recommandé par la HAS, recommandé par l'AFU
Hommes de 50 à 74 ans
Toucher rectal + dosage du PSA sérique total annuel
Complété par des biopsies transrectales en cas de positivité

289. Diagnostic des cancers : signes d'appel et investigations para-cliniques ; caractérisation du stade ; pronostic

Recommandations et conférence de consensus pour approfondir :

■ *Carcinome de site primitif inconnu : prise en charge : SOR 2002*

[1] Schéma daté signé

[2] État général : PS (Pronostic Status) de 1 à 4
IMC (indice de masse corporelle)
% de perte de poids en 1 semaine/mois/6 mois

[3] Histologie
Aucune chimiothérapie ni radiothérapie débutée sans preuve anatomo-pathologique
5 exceptions pour la chirurgie (PPRFT : Pancréas, Parotide, Rein, Foie, Thyroïde)

[4] Immuno-histochimie (CK7, CK20...)

[5]   Ki67

[6]   TTF1 positif

[7]   Cancer broncho-pulmonaire à petites cellules

[8]   Calcitoninémie

[9]   CA 15.3

[10]   Carcinome hépato cellulaire
        Cancer du testicule
        Tumeurs germinales

[11]   CA 125

[12]   LDH

[13]   Alpha fœto protéine
        β HCG
        LDH

[14]   PSA total

[15]   0 : asyptomatique
        1 : symptomatique
        2 : symptomatique alité < 50 % de la journée
        3 : symptomatique alité ≥ 50 % de la journée
        4 : grabataire/dépendant
        5 : décédé

[16]   Parotide
        Pancréas
        Rein
        Foie
        Thyroïde
        PPRFT (le PPRST afec un feuveu fur la langue)

[17]   Bilan local
        Bilan loco-régional
        Bilan à distance

[18]   Clinique : douleurs osseuses
        Paraclinique : hyperphosphorémie si métastases, hypophosphorémie si
        hyper-parathyroïdie paranéoplasique

[19]   Estomac
        Pancréas

[20]   Thrombophlébites mouvantes récidivantes (paranéoplasique)

[21]   Ce que le patient sait
Ce qu'il veut savoir
Délivrer l'annonce, dire le mot cancer
Proposition de traitement et suivi : plan personnalisé de soins
Récapitulatif et calendrier précis des soins et examens

[22]   Temps MÉDICAL (RCP, consultation d'annonce, PPS : plan personnalisé de soins)
Temps PARAMÉDICAL (information, associations, questions)
Temps d'accès aux SOINS DE SUPPORT médico psycho social
Temps d'ARTICULATION avec la médecine de ville (médecin traitant, HAD : Hospitalisation à domicile)

[23]   Âge
Performans Status (PS) de l'OMS/Indice de Karnofsky
État nutritionnel : IMC, % de perte de poids
Comorbidités

[24]   Précocité du traitement
Résection complète
Sensibilité de la tumeur au traitement
Prise en charge multidisciplinaire en centre spécialisé

290. Le médecin préleveur de cellules et/ou de tissus pour des examens d'Anatomie et Cytologie Pathologiques : connaître les principes de réalisation, transmission et utilisation des prélèvements à visée sanitaire et de recherche

Recommandations et conférence de consensus pour approfondir :

■ *Cours des enseignants*

[1]   Étude microscopique de cellules en dehors de toute organisation tissulaire.

[2]   Frottis
Cytoponction

[3]   Nettoyage de la lésion
Raclage de la lésion
Étalement immédiat sur lame de verre et séchage

Application d'une laque
Identifier les lames
Envoi en anatomopathologie avec feuille d'identification
Examen au microscope après colorations

[4]   Le prélèvement est associé à un fixateur
        Déshydratation dans un bain d'alcool (car la paraffine est hydrophobe)
        Inclusion (le plus souvent avec de la paraffine, qui durcit et permet une coupe
        fine aisée du bloc)
        Coupe des blocs avec un microtome (2 à 5 microns d'épaisseur)
        Étalement des coupes sur lame de verre
        Colorations
        Montage sur lames
        Lecture au microscope

[5]   But : recherche d'une protéine
        Étapes identiques à l'histochimie classique
        Ajout d'anticorps, visant une protéine ou un type cellulaire précis
        Anticorps primaire : se lie à la cible recherchée
        Révélé par un anticorps secondaire, marqué (ex : fluorochrome)

[6]   But : localiser des séquences d'ADN ou d'ARNm spécifiques
        Principe : complémentarité des bases de l'ADN et de l'ARN
        Sondes marquées dont la séquence d'acides nucléiques est complémentaire
        de celle de l'ADN chromosomique ou l'ARN que l'on cherche à identifier et
        à localiser

[7]   Étude des processus de réplication, de transcription et de traduction du
        matériel génétique.

[8]   Clonage d'expression, par PCR (Réaction en Chaîne par Polymérase) ou
        plasmide
        Électrophorèse, séparant les molécules
        Southern blot (électrophorèse puis utilisation de sondes marquées, compa-
        rable à l'hybridation in situ)
        Western blot
        Puces à ADN

[9]   Diagnostic des tumeurs, s'il n'a pas été fait sur biopsie avant l'intervention
        ou s'il reste imprécis.
        Recherche de l'intégrité des limites d'exérèse.
        Orientation de nouvelles exérèses à réaliser, si nécessaire.
        Avis sur la représentativité du matériel prélevé (biopsies).
        *L'indication de l'examen extemporané doit être susceptible de modifier l'in-
        tervention chirurgicale en cours.*

L'avis extemporané ne représente, par définition, pas une réponse définitive. Il doit être complété par les techniques standards (incluant les colorations spéciales, l'immunohistochimie) afin d'obtenir le diagnostic le plus précis possible pour le malade.

[10] Temps chirurgical allongé (30 minutes en général)

[11] Étude macroscopique de la pièce opératoire
Par le chirurgien : pièce orientée
Par le pathologiste : choix des coupes (selon l'objectif : limites d'exérèse, diagnoctic...)
Mise sur plot
Congélation et coupes dans un cryostat
Étalement des coupes congelées sur lames
Colorations rapides
Lecture et analyse au microscope
Réponse orale au bloc, puis compte rendu écrit

[12] Choix de la méthode : histochimie, biologie moléculaire...
Rédaction d'un protocole, promoteur, évaluation des surcoûts
– Prélèvement : ou, quand, comment, nombre, précautions
– Renseignements, feuille de traçabilité
– Transport
– Analyse par le pathologiste
– Biologie moléculaire = congélation
– Stockage
Comité de protection des personnes + consentement ou non opposition selon les cas (charte éthique)
Autorisations administratives
Déclarations aux autorités (dépend du type de recherche)
Tumorothèque : comité de pilotage pour cession

291. Traitement des cancers : chirurgie, radiothérapie, traitements médicaux des cancers (chimiothérapie, thérapies ciblées, immunothérapie). La décision thérapeutique pluridisciplinaire et l'information du malade

Recommandations et conférence de consensus pour approfondir :
- *Nausées et Vomissements Chimio Induits : AFSOS 2011*
- *Réunion de concertation pluridisciplinaire (RCP) en cancérologie : HAS 2008*
- *Radiothérapie : Comprendre la radiothérapie : INCa 2009*
- *Radiothérapie : médecin traitant et patient en radiothérapie, conseils pratiques : INCa 2008*
- *Abords veineux : AFSOS 2010*
- *Chambres à cathéter implantable : evaluation de la qualité et surveillance : ANAES 2000*

215. Pathologie du fer chez l'adulte et l'enfant

Recommandations et conférence de consensus pour approfondir :
- *HAS recommandations 2009*

266. Hypercalcémie

[1] Curatif = augmenter la quantité de vie
Palliatif = augmenter la qualité de vie

[2] Traitement réalisé avant un traitement curatif radical
Pour diminuer la taille de la tumeur, et permettre un geste plus conservateur ou un geste avec marges saines

[3] Traitement réalisé après un traitement curatif radical
Pour diminuer le risque de récidive et augmenter la survie en traitant les micro-métastases

[4] Augmenter la « survie sans progression » : stabilisation de la maladie, voire périodes de rémission.

[5] Étape exploratoire : organes de voisinage, prélèvements
Étape curative : résection tumorale, marges, curage ganglionnaire
Étape anatomopathologique

[6] Infection du site opératoire (précoce/tardive)
Hémorragie
Thrombo-embolique

[7] R2 : marges envahies macroscopiquement, constatation opératoire
R1 : marges envahies microscopiquement, constatation anapath
R0 : marges saines

[8] Lymphocèle : collection de lymphe sous forme de kyste localisé au site du curage, souvent asymptomatique : drainage si compressif ou douloureux
Lymphœdème : œdème d'un membre après chirurgie ou radiothérapie, ne prenant pas le godet

[9] Port d'une manchette de contention, classe 2 ou 3
Kinésithérapie : drainage lymphatique

[10] Éviter blessures, piqûres, coupures, injections... sur ce membre
Éviter coup de soleil, exposition à la chaleur
Éviter port de charges lourdes, dormir sur ce membre...

[11] À partir de 2 épisodes par an

[12] Absorption d'une joule par un kilo de tissu

[13] Nombre de séances
Fractionnent la dose totale reçue : ex : 50 grays en 25 séances de 2Gy

[14] La durée entre la 1re et la dernière séance
Ex : 25 séances sur 5 semaines (du lundi au vendredi)

[15] Étude dosimétrique, délinéation et balistique
Centrage, simulation
Position de traitement
Protection des oraganes à risque
Étalement + Fractionnement
Dose totale

[16] Court terme : radiodermite (érythème)
Long terme : fibrose et télangiectasies

[17] Aplasie médullaire : risque de neutropénie fébrile

[18] Hypertension Intra Crânienne : HTIC

[19] Diarrhée +++ : après 15 jours ; Régime pauvre en résidus à conseiller
Nausées et vomissements
Crises hémorroïdaires

[20] Pollakiurie sans brûlures mictionnelles

[21] Érythème
Dépilation

[22] Colite radique ++ : colite +/– diarrhée après ingestion de fibre, aliments laxatifs (adapter le régime, antispasmodiques, antidiarrhéiques)
Rectite radique : rectorragies à l'émission de selles : cautériser télangiectasies si retentissement sur la NFS
Grêle radique : rare et grave : épisodes subocclusifs ou occlusifs

[23] Sécheresse vaginale
Rétrécissement vaginal (éducation à l'utilisation de dilatateurs, œstrogènes topiques)
Brides vaginales
Dyspareunies

[24] Cystite radique : pollakiurie +/– hématurie (cautérisation des télangiectasies si retentissement sur la NFS)
Instabilité vésicale : incontinence (kinésithérapie, antispasmodiques urinaires)
Cancer de la vessie (rare, après 10 ans en moyenne)

[25] Dénutrition ++ : douleur de la mucite, xérostomie, candidose...
Radiomucite
Dermite
Candidose oropharyngée

[26] Xérostomie ++
Hyposialie et pathologies dentaires +++
Lymphœdeme cervical
Hypothyroïdie
Ostéo-radionécrose
...

[27] Non : RISQUE DE FISTULES +++

[28] Pose d'une voie veineuse centrale, avec ou sans chambre implantable

[29] Examen clinique : poids, taille, surface corporelle, état général, examen de l'abord veineux)
Hémogramme
Fonction rénale (créatininémie et clairance) et hépatique (bilirubinémie)

[30] Nausées
Vomissements
Allergie
Extravasation (d'où la chambre implantable avec voie centrale)
Nécrose cutanée
Veinite

[31]   Anorexie
        Amaigrissement
        Pancytopénie
        Alopécie
        Tératogène
        Oligo-azoospermie
        Aménorrhée

[32]   Asthénie
        Anémie
        Stérilité

[33]   PAC : port à cath (chambre implantable sous-cutanée reliée à une voie veineuse centrale)

[34]   Infection
        Thrombose

[35]   Neurotoxicité périphérique
        Ototoxicité (cochléaire)
        Toxicité rénale : nécrose tubulaire aiguë

[36]   Anti-émétiques +++
        Hyper-hydratation : 3 à 6 L (attention à l'OAP !!)
        Contre-indication aux AINS

[37]   Leucémies aiguës myéloïdes

[38]   Hématurie
        Cancer de vessie
        *Prévention = hydratation abondante et Mesna**

[39]   Cardiomyopathie dilatée
        Noter ++ dans le dossier la dose totale reçue rapportée à la surface cutanée

[40]   Angor par spasme coronarien lors de la perfusion

[41]   Mucite : prévention par bains de bouche, nécessite parfois une hospitalisation et le recours à une alimentation parentérale.

[42]   Neuropathie périphérique (hypersensibilité au froid ++)

[43]   Perforation intestinale

[44]   Cardiopathie dilatée
        Théoriquement réversible
        Ne pas associer d'anthracyclines

[45]   Fibrose pulmonaire
       Contre-indication à une radiothérapie thoracique concomitante

[46]   Contraception orale : blocage de l'ovulation
       Les chimiothérapies agissent sur les cellules en division

[47]   Prélèvement et conservation de sperme au CECOS

[48]   Bilan martial : saignement/syndrome inflammatoire (distinction difficile)
       Recharge en fer per os/IV
       Injections d'EPO
       Transfusions de culots globulaires, selon les seuils recommandés (< 7 g/dL
       dans la population générale, < 10 g/dL si cardiopathie...)

[49]   Transfusion de culots plaquettaires si inférieur au seuil (en général
       20 000 ml)
       Éviter gestes invasifs, arrêt des anticoagulants...

[50]   Casque réfrigérant : diminue la circulation et donc le passage des chimio-
       thérapies
       Prothèse capillaire

[51]   Anticipés
       Précoces < 24 h
       Retardés > 24 h

[52]   Alcoolisme chronique > 100 g/j

[53]   Chimiothérapie hautement émétisante
       Âge jeune < 55 ans
       Sexe féminin
       Pas d'alcoolisme chronique > 100 g/j
       Anxiété
       Antécédents de vomissements (transports, grossesse, post chimio ++)

[54]   Liés à l'anxiété : anxiolytique type benzodiazépine
       Lorazepam 1 mg

[55]   Corticoïdes : 1 mg/kg le matin de prednisolone
       + Antagoniste des récepteurs 5HT3 sérotoninergiques
       Sétron : Zophren* 8 mg matin et soir
       Sur ordonnance de médicaments d'exception
       + Antagoniste neurokinine 1
       Aprepitant : Emend 125 mg à J1 (puis 80 mg à J2 et J3)
       Ou fosaprépitant
       +/– Antagoniste dopaminergique
       Metoclopramide : Primpéran* 10 mg 3x par jour

[56]   Corticoïdes de J2 à J4
        Aprepitant : Emend 80 mg à J2 et J3
        +/– Antagoniste dopaminergique
        Metoclopramide : Primpéran* 10 mg 3x par jour
        Principalement pour le cisplatine et cyclophosphamide
        Les Sétrons sont INEFFICACES

[57]   Clinique : diminution d'une lésion visible, douleurs...
        Biologique : marqueurs tumoraux validés (peu), calcémie...
        Imagerie : radiologie ou médecine nucléaire.

[58]   Réponse complète : disparition des lésions cibles
        Réponse partielle : diminution > 30 % de la taille lésions cibles
        Progression tumorale : augmentation > 20 % de la taille des lésions cibles
        Stabilité : entre la réponse partielle et la progression

[59]   Coefficient de saturation de la transferrine < 20 %
        Ferritinémie souvent élevée, liée à l'inflammation : non utile au diagnostic.

[60]   Toujours : recherche carence martiale
        Si Hb < 10 g/dl : Érythropoïétine (une injection sous cutanée hebdomadaire)
        Si Hb < 8 g/dl (ou 10 g/dl si coronarien) : transfusion de culots globulaires

292. Prise en charge et accompagnement d'un malade cancéreux à tous les stades de la maladie dont le stade de soins palliatifs en abordant les problématiques techniques, relationnelles, sociales et éthiques. Traitements symptomatiques. Modalités de surveillance

Recommandations et conférence de consensus pour approfondir :

- *Douleur - Constipation sous opioïodes en soins palliatifs : SFAP 2009*
- *Douleur rebelle en situation palliative avancée : AFFSAPS 2010*
- *Médicaments des accès douloureux paroxystiques du cancer : HAS 2010*
- *Prévention et prise en charge des escarres : Société Française de Dermatologie 2005*
- *Thromboses et cancer : AFSOS 2011*
- *Cancers et fatigue : AFSOS 2010*
- *HTIC : AFSOS 2010*
- *Mucites et candidoses : AFSOS 2010*
- *Prise en charge sociale : AFSOS 2010*
- *Urgences en cancérologie : AFSOS 2010*
- *Sédation pour détresse en phase terminale : situations complexes : SFAP 2009*
- *Thrombose et cancer : traitement et prévention : INCa 2008*
- *Soins palliatifs et accompagnement : INPES 2004*
- *Douleur - Traitements antalgiques médicamenteux des douleurs cancéreuses : SOR 2002*
- *Accompagnement des personnes en fin de vie : ANAES 2004*

[1]   Curative
        Palliative
        Terminale

[2]   Réseaux de cancérologie
        Multidisciplinaire : ≥ 3 spécialités
        Tous les dossiers, phase initiale & modification du traitement
        Sur dossier complet
        Proposition de prise en charge, avec compte rendu standardisé inclus dans le dossier médical et communiqué au médecin traitant

[3]   Que tout patient reçoive un traitement adapté aux dernières recommandations de la science
        La RCP sert de base au PPS : Plan Personnalisé de Soins

[4]   Soins actifs, évolutifs, dans une approche globale coordonnée pluridisciplinaire dans des réseaux de soins
Maladie chronique incurable et évolutive
S'adressent au patient et à son entourage
Visant à améliorer la qualité de vie
Concept de souffrance globale : physique, psychique, sociale et spirituelle

[5]   Pronostic létal
Karnofsky < 30 %
Symptomes non soulagés
Maintien à domicile impossible

[6]   Selon la loi Leonetti de 2005
N'autorise pas l'euthanasie
Autorisation d'intensifier un traitement, même si les effets secondaires peuvent accélérer la mort, dans l'optique de soulager
Après information du patient + famille + personne de confiance
Traçabilité dans le dossier médical +++
Exemple : augmenter la morphine même si désature, injection de midazolam si hémoptysie cataclysmique...

[7]   Principe d'autonomie
Principe de bienfaisance
Principe de non-malfaisance : prévenir l'obstination déraisonnable

[8]   Directives anticipées (valables 3 ans)
Personne de confiance

[9]   Une prise en charge médico-psycho-sociale multidisciplinaire, du patient et de son entourage

[10]   Voie la moins invasive
Intervalles réguliers
Selon échelle d'intensité
Adapté aux besoins (posologie)
Constant souci du détail

[11]   Schéma fixe ++ : prévenir la douleur

[12]   IRM de la totalité du rachis
En urgence

[13]   Hospitalisation
Immobilisation stricte au lit
Imagerie du rachis
Information du neurochirurgien
Antalgie, pose d'une sonde urinaire
Les corticoïdes ne sont vraiment efficaces qu'en cas d'épidurite

[14] Décompression chirurgicale (neurochirurgie) en urgence
Radiothérapie en urgence, avec corticothérapie (œdème lié au traitement)

[15] Hospitalisation +/– réanimation
ECG
Réhydratation IV > 2 l/j
Bisphosphonates au moins 2 h après le début de la réhydratation : zoledro-
nate – Zometa* 4 mg IV (si clairance rénale conservée, sinon dose adaptée
à la clairance), ne pas renouveler avant J7
Surveillance quotidienne de la calcémie
*Pour ceux qui connaissent le denosumab, nouveau traitement antirésorptif
osseux utilisé en oncologie (1 injection sous cutanée mensuelle), il n'a pas à
ce jour l'AMM dans le traitement de l'hypercalcémie.*

[16] Hygiène
Mobilisation
Supports adaptés (matelas…)

[17] Angioscanner thoracique avec injection bi-brachiale +++
À défaut :
Radiographie de thorax
– IRM non injectée à défaut, voire
– Echodoppler veineux des membres supérieurs

[18] Position demi-assise
Oxygénothérapie
Corticothérapie
Anticoagulation curative
Antalgie
Traitement étiologique (radiothérapie…) ou palliatif (stent)

[19] Anticoagulation curative
Discuter ablation du cathéter ou pose d'un stent

[20] Humidification régulière
Bains de bouche : bicarbonate +/– antifongiques
Gouttières fluorées après radiothérapie

[21] Kinésithérapie respiratoire
O2 si hypoxémie
½ assis
Morphine en fin de vie
Scopolamine si râles/encombrement bronchique

[22] À jeun
Aspiration gastrique

Scopolamine
Octréotide (sandostatine)

[23]   Étiologique (candidose buccale ++…)
Corticothérapie : effet orexigène
Pro-kinétiques : motilium, primpéran
Consultation avec une diététicienne pour adapter les repas aux gouts

[24]   Flagyl : contre les anaérobies

[25]   Halopéridol : neuroleptique
Midazolam : benzodiazépine

[26]   Hydratation sous cutanée : hypodermoclyse
IV surtout si présence d'un PAC

[27]   Pas d'alimentation en phase palliative si la voie orale n'est plus disponible :
gêne, risque infectieux, pas d'augmentation de l'espérance de vie

[28]   Choc
Déni
Agressivité
Marchandage
Dépression
Acceptation

[29]   Morphine : réduit la douleur, la dyspnée…
Midazolam (Hypnovel) : réduit l'anxiété, l'agitation…

[30]   Laxatifs (osmotiques type macrogol en 1re intention)

[31]   Hydratation : plus de 1 à 2 litres d'eau par jour
Repas pauvres en fibres, arrêter les produits contenant du lactose, privilégier
les aliments suivants : bananes, riz, pain, pâtes, compote de pomme.
Loperamide 4 mg, puis 2 mg après chaque selle liquide dans une limite de
une prise maximum par 2 heures, et au maximum 16 mg sur 24 heures.
Tiorfan 100 mg : 1 cp matin midi et soir pendant 5 jours

[32]   Infectieuse liée à la toxine A ou B de clostridium difficile

[33]   Fragmine : posologie selon le poids, dose supérieure le 1er mois
Imnohep : posologie fixe selon le poids

293. Agranulocytose médicamenteuse : conduite à tenir

Recommandations et conférence de consensus pour approfondir :

- *2010 update of EORTC guidelines for the use of G-CSF to reduce the risk of chemotherapy-induced febrile neutropenia in adults with solid tumours*

187. Fièvre chez un patient immunodéprimé

[1] PNN < 500/mm³

[2] Érythrocytes : syndrome anémique ?
Plaquettes : syndrome hémorragique ?

[3] Immuno-allergique : brutale, isolée
Toxique : aplasie médullaire associée

[4] Chronologie : C1 à C3
Sémiologie : S1 à S3

[5] Bibliographie : B1 à B3

[6] Fièvre > 38,3 °C
Fièvre > 38 °C contrôlée à 1 heure
Frissons
Dyspnée, vomissements, diarrhée...

[7] Évaluation de la gravité (hypotension, oligurie...)
Recherche d'un foyer infectieux (point d'appel)
Évaluation du terrain et comorbidités

[8] 7 jours
Peut durer plusieurs semaines en onco-hématologie (intensification, greffe de cellules souches...)
Pas de prise en charge spécifique si asymptomatique

[9] Non

[10] Chimiothérapie très neutropéniante (> 20% de neutropénie fébrile)
Il existe des tables classant chaque chimiothérapie selon sa dose en pourcentage de neutropénies fébrile (hors programme, retenir qu'au-dessus de 20 % les facteurs de croissance sont indiqués)

[11] Facteurs de risque individuels
Âge > 75 ans
Antécédent de neutropénie fébrile

[12] Non : effet secondaire connu, on ne recherche pas de leucémie aiguë.

[13] Bactéries :
Cocci gram +
– Staphylocoques, Streptocoques
Bacilles gram –
– E coli, pyocyanique...

[14] Bacilles gram -

[15] Hémoccultures sur le port-à-cath (PAC)

[16] **AUCUN examen ne doit retarder la prise en charge**
– NFS en urgence
– Radiographie de thorax
– ECBU
– +/– Prélèvements cutanés, ORL, coproculture...

[17] Probabiliste : minimum double antibiothérapie
– Pas de gravité : Augmentin + Ciprofloxacine
– Doit être initiée en urgence (dans les 30 minutes)

[18] Probabiliste : minimum double antibiothérapie
– Gravité : tazocilline + aminoside (gentamicine ou amikacine ou tobramy-cine) +/– vancomycine
– Ablation du cathéter central au moindre doute
– + bains de bouche

[19] Ajout de vancomycine contre le staphylocoque Méti-R
– Ablation du cathéter central au moindre doute

[20] Ajout d'un antifongique : amphotéricine B
– Ablation du cathéter central au moindre doute

[21] Information du patient, oncologue, médecin traitant
– NFS à réaliser à 48 h
– Retour à domicile

[22] Isolement protecteur
– (+ bains de bouches)

[23] Vaccin annuel contre la grippe
– Vaccin antipneumococcique (shéma avec vaccin conjugué 13 valences + polyosidique 23 valences)

294. Cancer de l'enfant : particularités épidémiologiques, diagnostiques et thérapeutiques

> **Recommandations et conférence de consensus pour approfondir :**
> - *Cancer de l'enfant : guide mon enfant a un cancer : INCa 2010*
> - *Ostéosarcome : prise en charge des patients atteints d'ostéosarcome : SOR 2004*
> - *Evaluation de la douleur chez l'adulte et l'enfant atteints d'un cancer : SOR 2003*
> - *Collège des enseignants*

[1]   Rares : 2 500 par an
Moins de 1 % de tous les cancers
Prédominance masculine : sex ratio 1,2
2e cause de mortalité à cet âge (#1 : accidents)

[2]   50 % avant 5 ans

[3]   80 %

[4]   Hémopathies : Leucémie aiguë lymphoïde (30 %)
+ 10% avec les lymphomes

[5]   Cérébrales : astrocytome pilocytique, crâniopharyngiome...
Carcinomes : épithéliaux (dont mélanome), thyroïdien
Abdominales : néphroblastome, neuroblastome
Osseuses : ostéosarcome, sarcome d'Ewing

[6]   Cassure de la courbe staturo-pondérale

[7]   Présence des 2 parents
Informer l'enfant

[8]   Échographie abdominale en urgence

[9]   Très bonne chimio-sensibilité : pour la grande majorité de ces cancers, la première étape du traitement reste la chimiothérapie

[10]   Lymphome de Burkitt
Hépatoblastome

[11]   Rétinoblastome

[12]   Néphroblastome
Neuroblastome

[13]   Rhabdomyosarcome

[14]   Lymphome de Hodgkin

[15]   Néphroblastome : risque de dissémination métastatique, souvent typique
         Une présentation atypique doit faire réaliser une biopsie

[16]   Dosage des catécholamines urinaires (neuroblastome)

[17]   Scintigraphie au MIBG : métastases ?
         L'IRM sera utile au bilan loco-régional

[18]   Recherche de l'amplification de l'oncogène N-myc

[19]   2 ans

[20]   PAI : Projet d'Accueil Individualisé

[21]   Tumeurs germinales malignes
         Hépatoblastome

[22]   Une « alliance thérapeutique »

[23]   Réduire le volume tumoral pour rendre possible une chirurgie
         Diminuer le volume et la dose d'irradiation
         Agir précocément sur les métastases, avérées et/ou infracliniques

[24]   Neuroblastome + métastases ostéomédullaires avec hématome péri-orbi-
         taire bilatéral

295. Tumeurs de la cavité buccale, naso-sinusiennes et du cavum, et des voies aérodigestives supérieures

Recommandations et conférence de consensus pour approfondir :

- *Guide ALD de l'HAS du 10/12/2009*
- *Collège des enseignants*

[1]   16 000 cas/an
         5 000 décès/an
         80 % chez l'homme (mais augmentation chez la femme)

[2]   Carcinome épidermoïde : 95 % des cas

[3]   Larynx : 35 %
         Hypopharynx : 30 %

[4]   Alcool + Tabac synergique : 90 % des cancers
      Alcool
      Tabac
      Infection virale : HPV
      Expositions professionnelles
      Mauvaise hygiène bucco-dentaire

[5]   Cancer épidermoïde indifférencié : UNCT

[6]   Infection par EBV (herpès virus type Epstein Barr)
      Origine géographique (Asie ++, Inuits, Maghreb)

[7]   Adénopathie cervicale : cancer très lymphophile

[8]   Syndrome oto-rhino-neurologique :
      – Épistaxis ++
      – Otite séro-muqueuse, uni ou bilatérale ++
      – Névralgie faciale

[9]   Otalgie réflexe

[10] Adénocarcinome

[11] Exposition professionnelle : principalement poussière de bois

[12] Inspection + palpation endobuccale et exobuccale
      Examen otoscopique
      Examen des aires ganglionnaires cervicales
      Naso-fibroscopie, en consultation ++

[13] TDM cervico-faciale avec injection (rapport/os ++, ganglions)
      IRM cervicale (extension locales aux parties molles ++)
      Bilan dentaire systématique : panoramique dentaire

[14] TDM thoracique injectée (recherche tumeur broncho-pulmonaire
      synchrone)
      Échographie hépatique (métastases)
      TEP-TDM à discuter (systématique pour les cancers du cavum)

[15] PAN-ENDOSCOPIE des VADS
      Au tube rigide :
      – Cavoscopie (hors bilan épidermoïde)
      – Pharyngoscopie
      – Laryngoscopie
      – Hypopharyngoscopie
      – Œsophagoscopie
      – Bronchoscopie

Palpation buccale
Palpation ganglions
…
SOUS anesthésie générale
pour BIOPSIES et ANATOMOPATHOLOGIE
SCHÉMA DATÉ SIGNÉ

[16] Endoscopie œsophagienne
Fibroscopie bronchique

[17] L'équilibre nutritionnel
Alimentation par sonde naso-gastrique/gastrostomie/parentérale

[18] Rechercher tumeur synchrone/métachrone
Sevrage TOTAL et DÉFINITIF du tabac et de l'alcool

[19] Examen clinique
Imagerie : TDM et/ou IRM cervico-faciale
Endoscopie

[20] 90 % dans les 2 premières années
50 % sont asymptomatiques

[21] Aucun : pas pour le diagnostic, ni pronostic, ni le suivi, y compris pour EBV

[22] Anticorps anti VCA
Anticorps anti EBNA
Anticorps anti EA

[23] Avant : réalisation de gouttières dentaires porte-gel
Après : fluoration par un gel, 5 minutes par jour à vie
*L'hyposialie post irradiation est propice au développement de surinfections candi-
dosiques et de caries dentaires, exposant au risque d'ostéo-radionécrose*

[24] Chirurgie

[25] Radiothérapie
+/– chimiothérapie concommitante potentialisant la radiothérapie (ex : bithé-
rapie 5FU + cisplatine)

[26] Traitement néo-adjuvant, comprenant chimiothérapie et/ou radiothérapie
visant à réduire la taille tumorale pour éviter une chirurgie trop mutilante,
et ainsi préserver les fonctions du larynx : protection des VADS avec une
déglutition sans fausse route ni sonde d'alimentation, respiration et phonation
sans trachéotomie.

[27]   5 FU
        Sels de platine
        Ont un effet potentialisant la radiothérapie lors d'un traitement
        concomitant

[28]   Mucite ++ : gêne l'élocution, puis l'alimentation solide, puis liquide
        Prévention/traitement par bains de bouche pluriquotidiens
        Hydratation/alimentation parentérale en cas d'aphagie totale

[29]   Car la consommation excessive d'alcool protège des vomissements chimio-
        induits

[30]   Examen anatomopathologique d'une biopsie
        TDM
        Et/ou IRM

[31]   TSH : risque d'hypothyroïdie

[32]   Sevrage total et définitif : tabac & alcool
        Prise en charge nutritionnelle
        Prise en charge bucco-dentaire
        Prise en charge sociale : déclaration de maladie professionnelle...

[33]   Déglutition (fausses routes)
        Respiration
        Rééducation souvent nécessaire (incluse l'apprentissage de la voix œsopha-
        gienne en cas de laryngectomie totale)

296. Tumeurs intracrâniennes

Recommandations et conférence de consensus pour approfondir :

- *Guide ALD de l'HAS du 6/12/2010*
- *Collège des enseignants*

[1]   Enfant = sous-tentoriel
        Adulte = sus-tentoriel

[2]   Secondaires : métastases de cancers

[3]   Antécédent d'irradiation thérapeutique, nottament durant l'enfance
        Formes familiales : neurofibromatose de type 1
        Carcinogènes professionnels
        Immunodépression (VIH, transplantation...) pour les lymphomes du SNC

[4] IRM cérébrale, sans puis avec injection de produit de contraste

[5] Examen du fond d'œil :
– Normal
– Œdème papillaire bilatéral
– Hémorragies rétiniennes (péri-papillaires en flammèche)

[6] Dès que possible
Discussion en RCP des indications de non-biopsie

[7] Sein
Poumon
Cutané : mélanome

[8] Abcès cérébral
La fièvre n'est pas constante

[9] Crâniopharyngiome

[10] Adénome hypophysaire (majoritairement non sécrétants)

[11] Céphalées (matinales, augmentées par le décubitus, la toux, soulagées par les vomissements...)
Signes neuro-végétatifs : nausées, vomissements
Signes ophtalmologiques : diplopie (VI, non localisateur), éclipses visuelles, baisse d'acuité visuelle (II) avec œdème papillaire au fond d'œil
Troubles de la conscience (gravité)

[12] Augmentation du périmètre crânien
Bombement des fontanelles
Disjonction des sutures
Dilatation des veines du cuir chevelu
Regard en coucher de soleil

[13] Sous-falcoriel (sous la faux du cerveau)
Temporal (sous la tente du cervelet)
Amygdalien (par le foramen magnum)

[14] Troubles de la conscience
Myosis + ptosis homolatéral (compression du III)
Hémiplégie controlatérale (compression du pédoncule homolatéral)

[15] Repos strict au lit en position demi-assise (45°)
À jeun + rééquilibration hydro-électrolytique avec restriction hydrique
Traitement anti-œdémateux : soluté hyper-osmolaire (mannitol IV) si signe d'engagement/troubles de la conscience/urgence
Corticothérapie IV (après biopsie stéréotaxique si suspicion de lymphome cérébral) à fortes doses (bolus de 120 à 500 mg)
Traitement étiologique

[16]   Dérivation ventriculaire externe/interne chirurgicale

[17]   IRM cérébrale en séquence de diffusion
         Chute du coefficient de diffusion au sein de l'abcès cérébral

[18]   Bactéries : pyogènes, bacille de Koch (tuberculose)
         Parasites : Toxoplasmose (contexte VIH)
         Levure : Cryptococcose (contexte VIH)

[19]   Hyposignal T1 non rehaussé après injection
         Hypersignal T2
         Hypersignal FLAIR ++
         Périphérique

[20]   DIAGNOSTIQUE : stéréotaxique (cadre) ou sous neuro-navigation (assistée
         par ordinateur)
         THÉRAPEUTIQUE : résection tumorale, partielle ou totale

[21]   TDM thoraco-abdomino-pelvienne injectée
         + selon point d'appel

[22]   Tumeurs neuro-épithéliales : Gliomes
         − Issus des cellules gliales, entourant les neurones
         La PEC et l'évolution dépendent du grade

[23]   Pas de métastases hors du SNC (ou exceptionnel)

[24]   Biopsie stéréotaxique : en cas de lymphome, la corticothérapie empêchera
         d'obtenir une preuve histologique
         Hors HTIC sévère

[25]   Biologie moléculaire

[26]   Type
         Grade
         Anomalies moléculaires

[27]   Âge
         État cognitif
         Degré de handicap

[28]   Grades ≥ II
         Bas grade = II
         Haut grade = III et IV

[29]   Astrocytome pilocytique
         Bénin, curable par la chirurgie si totalement résécable

[30]   Glioblastome

[31] Chirurgie ++ : réduction maximale du volume tumoral
Radiothérapie conformationnelle 3D
Chimiothérapie : Témozolomide (Temodal*)

[32] Radio-chimiothérapie
Pas de chirurgie
!! biopsie avant la corticothérapie

[33] Chirurgie, puis chimiothérapie et/ou radiothérapie
Chimiothérapie : Temodal
Radiothérapie, seule ou concomitante (Temodal)

[34] Neurochirurgie sur un patient éveillé

[35] Thrombose veineuse profonde d'un sinus

[36] Alopécie en regard des faisceaux d'irradiation

[37] Examen clinique
IRM cérébrale

[38] Programme de RÉÉDUCATION au décours : MPR

[39] Pulsions alimentaires aboutissant à une obésité morbide

297. Tumeurs du col utérin, tumeur du corps utérin

Recommandations et conférence de consensus pour approfondir :
- *Guide ALD de l'HAS du 2/2/2011 et du 4/3/2010*
- *Cancer de l'endomètre : Rapport intégral : INCa 2010*
- *Cancers gynécologiques : prise en charge initiale : SFOG 2007*
- *Cancer du col de l'utérus : Intérêt de la recherche des Papillomavirus (HPV) : ANAES 2004*
- *Cancer du col de l'utérus : prévention du cancer du col de l'utérus : CNGOF 2007*
- *Cancer du col utérin : conduite à tenir devant un frottis cervico-utérin anormal : ANAES 2002*
- *Collège des enseignants*

[1] 40 ans

[2] Métrorragies provoquées

[3] Vaccination
HPV oncogènes : sérotypes 16, 18 +/– 2 autres

[4]   80 % exocol : carcinomes épidermoïdes
        15 % endocol : adénocarcinomes

[5]   Infection chronique par HPV : Human Papilloma Virus

[6]   HPV 16 et 18 dans ¾ des cas

[7]   Dépistage organisé
        Frottis cervico utérin
        La vaccination ne se substitue pas au dépistage.

[8]   Néoplasie cervicale intra-épithéliale (CIN) de différents grades

[9]   Régression : principalement CIN 1
        Progression en cancer du col de l'utérus : CIN 3
        Persistance

[10]   Dépistage cytologique
        Frottis cervico-utérin (FCU)
        2 années consécutives
        Puis tous les 3 ans
        À partir de 25 ans
        Jusqu'à 65 ans

[11]   En phase solide : moins cher
        En phase liquide : pour test HPV

[12]   Normal
        Mal effectué
        ASC-US
        Lésion de bas grade
        Lésion de haut grade

[13]   Refaire à 3 ans

[14]   Refaire immédiatement/après traitement d'une cause intercurrente

[15]   FCU à 6 mois
        Ou test HPV, colposcopie si oncogène, FCU à 1 an sinon
        Ou colposcopie d'emblée avec biopsies

[16]   Colposcopie + biopsies
        Ou FCU à 6 mois, colposcopie si +

[17]   Colposcopie + biopsies

[18]   Loupe binoculaire
#1 : col sans préparation
#2 : coloration à l'acide acétique + lumière verte (repérage zone de jonction pavimento-cylindrique, lésions = blanches)
Quelle est la conduite à tenir en cas si la jonction pavimento-cylindrique n'est pas vue en colposcopie ?
Conisation au bistouri ou à l'anse diathermique
Anatomopathologie

[19]   Classification OMS

[20]   10 à 15 ans

[21]   Précocité des premiers rapports sexuels
Multiplicité des partenaires

[22]   Tabagisme
Immunodépression/traitements immunosuppresseurs

[23]   Anatomopathologie
Biopsies cervicales lors d'une colposcopie ou pièce de conisation

[24]   IRM pelvienne
Allant des pédicules rénaux à la symphyse pubienne
La TDM pelvienne n'est pas recommandée

[25]   Doute à l'IRM

[26]   SCC : squamous cell carcinoma

[27]   Chirurgie
Radiothérapie externe
Curiethérapie
Chimiothérapie

[28]   Prise en compte de la sexualité
Prise en compte de la fertilité

[29]   À 6 mois, 12 mois, puis annuel

[30]   Résection complète du col de l'utérus, par voie intra-vaginale
= cervicectomie

[31]   Frottis + test HPV
à 3-6 mois
+ à 18 mois
Frottis annuel durant 10 ans en cas de normalité

[32]   Traitement hormonal substitutif
Jusqu'à 50 ans

297. Tumeurs du col utérin, tumeur du corps utérin

Recommandations et conférence de consensus pour approfondir :

- *Guide ALD de l'HAS du 2/2/2011 et du 4/3/2010*
- *Cancer de l'endomètre : Rapport intégral : INCa 2010*
- *Cancers gynécologiques : prise en charge initiale : SFOG 2007*
- *Cancer du col de l'utérus : Intérêt de la recherche des Papillomavirus (HPV) : ANAES 2004*
- *Cancer du col de l'utérus : prévention du cancer du col de l'utérus : CNGOF 2007*
- *Cancer du col utérin : conduite à tenir devant un frottis cervico-utérin anormal : ANAES 2002*
- *Collège des enseignants*

[1] Métrorragies spontannées, principalement post ménopausiques

[2] Obésité
Diabète
Tamoxifène
FdR = hyper-œstrogénie

[3] 70 % diagnostiqués au stade localisé = 95 % de survie à 5 ans

[4] Syndrome de Lynch = HNPCC

[5] Toutes les patientes < 50 ans
Discussion entre 50 et 60 ans
Apparenté au 1er degré atteint d'un cancer du spectre HNPCC (colo-rectal ++, endomètre, urothélial, estomac, vessie, grêle, voies biliaires, ovaires)

[6] Car le diagnostic est en général porté à un stade localisé, en raison du caractère symptomatique : métrorragies

[7] Épithéliaux : adénocarcinome (90 %)
Non épithéliaux : sarcomes...
Un fibrome qui grossit trop = suspecter un sarcome

[8] Pipelle de Cornier
Canule de Novack
Sont réalisées à l'aveugle, et n'ont donc de valeur que positive

[9] Par voie suspubienne et vaginale
Recherche la tumeur, une hyperplasie

Évalue l'infiltration du myomètre
+/– hystéro-sonographie avec injection intra-cavitaire de sérum
+/– doppler : recherche une hypervascularisation

[10] Peut être réalisée en ambulatoire
Sous anesthésie : examen clinique optimal
Visualise les lésions
Évalue la topographie
Guide les prélèvements histologiques : biopsies dirigées pour obtenir une preuve anatomopathologique et donc le diagnostic de cancer

[11] Un curetage biopsique dirigé
+/– cystoscopie, rectoscopie

[12] > 5 mm

[13] IRM pelvienne
IRM des aires ganglionnaires lombo-aortiques
Pas de marqueur spécifique, cependant il est conseillé de doser le CA 125 pour évaluer la réponse et le suivi en cas d'extension régionale (stades III-IV), atteinte ovarienne, type 2 histologique

[14] Confirmer la malignité
Définir le type histologique : 1 (endométrioïde, le plus fréquent), 2 (moins bon pronostic)
Pour le type histologique 1, définir le grade histopronostic (1 le plus différencié, meilleur pronostic, à 3)

[15] Infiltration du myomètre +++
Stade
Recherche d'emboles vasculaires et/ou lymphatiques
Extension au col/annexes
Nombre de ganglions analysés et atteints
Confirmer le type histologique et le grade, pour la décision de traitement adjuvant en RCP

[16] Chirurgie cœlioscopique : hystérectomie totale + salpingo-ovariectomie bilatérale +/– lymphadénectomie, omentectomie...
Voie vaginale si haut risque chirurgical
Laparotomie si très gros volume tumoral

[17] Curiethérapie à haut débit de doses
Évite une hospitalisation & complications du décubitus ; applicateur intra-vaginal, irradiation durant quelques minutes, 1 séance par semaine durant 2 à 4 semaines. Il ne persiste pas de radioactivité résiduelle après la séance.

[18] Hormonothérapie par progestatifs

[19]   Traitement hormonal substitutif, mais sans progestatif : ici ce n'est pas un traitement du cancer, mais un traitement de la ménopause précoce.
Ne pas oublier dans cette situation :
Cancer à 40 ans = consultation d'oncogénétique
THS = surveillance seins, contre-indications…

[20]   Degré d'infiltration du myomètre
Seuil : plus ou moins de 50 % infiltré

[21]   Traitement chirurgical réalisé
Degré de différenciation
Envahissement ganglionnaire, pelvien et lombo-aortique
Formes histologiques péjoratives (carcinome papillaire séreux, adénocarcinome à cellules claires)

[22]   CLINIQUE seul ++ : examen gynécologique, touchers pelviens, aires ganglionnaires…
Optionnel : paraclinique
NPO prise en charge globale & des facteurs de risques cardiovasculaires ++ : l'obésité et le diabète sont des FdR de cancer de l'endomètre

298. Tumeurs du colon et du rectum

Recommandations et conférence de consensus pour approfondir :

- *Guide ALD de l'HAS du 20/3/2012*
- *Thésaurus National de cancérologie Digestive 2011 (colon) et 2012 (rectum)*
- *Chirurgie prophylactique dans les cancers avec prédisposition génétique : INCa 2009*
- *Cancer du rectum : chimiothérapie péri-opératoire des adénocarcinomes : SOR 2007*

- *Cancer colorectal : place de coloscopie virtuelle dans le dépistage : ANAES 2001*
- *Collège des enseignants*
- *ALD HAS janvier 2012*
- *ESMO 2010*
- *HAS 2010 avis vidéo-coloscopie*
- *INCa 2009, avril + novembre 2010, avril 2011*
- *INVS avril 2010*

[1]   2e cause de décès par cancer : 17 000/an
3e cancer le plus fréquent : 40 000/an
1re après 85 ans
95 % des malades ont plus de 50 ans

[2]   Rectoscopie au tube rigide (aucune préparation, rectum +/– bas sigmoïde
Recto-sigmoïdoscopie = coloscopie courte/gauche (après 1 ou 2 lavements
évacuateurs au coloscope, arrêt si matières fécales et/ou provoque des
douleurs abdominales)
Coloscopie totale (sous anesthésie générale, après préparation, tout le colon
+/– la ou les première(s) anse(s) grêle(s))

[3]   Perforation colique
1 examen sur 1 000
Risque accru en cas de polypectomie
Information écrite obligatoire du patient, consentement éclairé
Rectoscopie et recto-sigmoïdoscopie sont anodins

[4]   Polypes adénomateux (= adénome) (seul pouvant dégénérer) provenant des
glandes de Lieberkühn
– Tubuleux (70 %)
– Tubulo-villeux
– Villeux
Polypes hyperplasiques
Polypes juvéniles
Pseudo-polypes inflammatoires (après cicatrisation d'ulcères d'une recto-
colite hémorragique ou d'une maladie de Crohn)

[5]   30 %

[6]   Adénome = polype adénomateux
Cancérisation précédée par une phase de dysplasie

[7]   Cancer intra-épithélial = premier stade du cancer

[8]   Traitement au cours d'une coloscopie : polypectomie
À l'anse diathermique ++ / pince
Examen anatomopathologique

[9]   Hémorragie
Perforation

[10]   Colectomie segmentaire

[11]   Injection de sérum entre le polype et la musculeuse
Facilite la polypectomie en cas de polypes séssiles
Diminue le risque de perforation colique

[12]   10 % dépasseront 1 cm
       2,5 % deviendront un cancer invasif

[13]   Coloscopie à 3 ans
       Puis tous les 5 ans si normale, jusqu'à 74 ans (ou interrompue lorsqu'il semble
       improbable que cette surveillance allonge l'espérance de vie du patient)

[14]   Âge
       Maladies inflammatoires du tube digestive (MICI : RCH, MC, indéterminées)
       principalement si évolution > 10 ans
       Antécédent personnel ou familial d'adénome colique ou d'adénocarcinome
       Prédispositions génétiques (PAF, HNPCC, MAP...)

[15]   Consommation excessive de viande rouge
       Consommation excessive de charcuterie
       Consommation excessive d'alcool
       Sédentarité
       Tabac

[16]   Taille
       Proportion élevée de contingent villeux
       Degré de dysplasie

[17]   Autosomique dominant

[18]   Autosomique dominant

[19]   Autosomique récessif

[20]   20 % : 15 % contexte familial, 1 % PAF, 3-5 % HNPCC
       80 % sont sporadiques

[21]   Facteurs de risques
       Antécédents personnels
       Antécédents familiaux de cancers (spectre HNPCC) sur 3 générations

[22]   Rectorragies
       Anémie ferriprive et ses signes fonctionnels
       Douleurs abdominales peristantes
       Syndrome rectal (épreintes, ténesmes, faux besoins)

[23]   Évaluation de l'état général : taille, poids, perte de poids
       Examen de l'abdomen
       Touchers pelviens
       Examen des aires ganglionnaires

[24]   Adénocarcinome lieberkühnien +++ (95%)
       Tumeurs neuro-endocrines

Lymphomes digestifs
Tumeurs stromales
Sarcomes

[25] Aux patients ASYMPTOMATIQUES

[26] PAF
HNPCC/syndrome de Lynch

[27] Surveillance rapprochée : dépistage INDIVIDUEL
Milieu spécialisé
Consultation d'onco-génétique (accord, signature...)
Chromo-coloscopie
PAF : dès 12 ans, proposer chirurgie prophylactique
HNPCC : dès 20 ans & autres cancers du spectre (endomètre ++)

[28] Cancer duodénal
Ampullome vatérien

[29] Antécédent personnel d'adénome ou de cancer colo-rectal
Antécédent familial au 1er degré de cancer ou d'adénome > 1 cm avant 65 ans
Plusieurs antécédents familiaux de cancer colo-rectal au 1er degré
MICI : Crohn ou RCH (principalement en cas de pancolite)

[30] Dépistage INDIVIDUEL
Coloscopie totale répétée
ATCD familiaux : dès 45 ans ou 5 ans avant le premier cas, puis tous les 5 ans si normale
ATCD personnel d'adénome : à 3 ans puis tous les 5 ans
ATCD personnel de cancer : cf. suivi cancer

[31] Plus de 50 ans, des 2 sexes
N'étant ni à risque élevé, ni très élevé

[32] Dépistage national ORGANISÉ
Recherche de sang occulte dans les selles
Par test hémoccult II, via courrier postal
Tous les 2 ans
De 50 à 74 ans
Suivi par une coloscopie TOTALE en cas de dépistage positif

[33] Reprise du dépistage ORGANISÉ
Par recherche de sang occulte dans les selles
Dès 5 ans après la coloscopie
Au rythme habituel, d'un test tous les 2 ans

[34] Coloscopie totale +++
      Le test de dépistage n'était pas indiqué : dépistage = asymptomatique

[35] Coloscopie
      TOTALE
      Après préparation (3 L PEG sur 3 J, lavement avant)
      Biopsies des lésions suspectes
      Examen anatomopathologique

[36] Vidéo-coloscopie incomplète
      Refus de vidéo-coloscopie, après information éclairée
      Impossibilité de vidéo-coloscopie (comorbidités)

[37] Scanner thoraco-abdomino-pelvien
      Coloscopie TOTALE
      NFS, fonction hépatique, fonction rénale
      +/– ACE (Antigène Carcino-Embryonnaire)
      +/– échographie ou IRM hépatique
      +/– TDM cérébrale, scintigraphie osseuse selon symptômes

[38] Scanner thoraco-abdomino-pelvien avec injection de PdC
      Coloscopie TOTALE
      IRM pelvienne ++ ou écho-endoscopie endorectale (petite tumeur)
      NFS, fonction hépatique, fonction rénale

[39] ACE (Antigène Carcino-Embryonnaire)
      Échographie ou IRM hépatique
      TDM cérébrale, scintigraphie osseuse selon symptômes

[40] Pronostic, dans les situations métastatiques

[41] 25 %

[42] 42 - 15 %
      Importance ++ de l'évaluation clinique et biologique (IMC, perte de poids,
      PS de l'OMS, albuminémie)
      Prise en charge pré-thérapeutique nécessaire

[43] Cancers du bas et du moyen rectum

[44] T1 = envahit la sous-muqueuse

[45] T2 = envahit la musculeuse

[46] T3 = envahit la sous-séreuse

[47] T4a = envahit le péritoine viscéral

[48] T4b = envahit les organes de voisinage

[49] T1 ou T2, N0 M0

[50] Chirurgie seule

[51] Chirurgie seule (ETM : exérèse totale du mésorectum ++)

[52] T3 N0 M0

[53] T4a N0 M0

[54] T4b N0 M0

[55] Chirurgie seule en l'absence de FdR de récidive
Si FdR de récidive : discussion chimiothérapie adjuvante en RCP
FOLFOX : 5FU + oxaliplatine + acide folinique

[56] Tumeurs peu différenciées
T4
Emboles veineux, périnerveux, lymphatiques
Occlusion
Perforation
Nombre de ganglions examinés < 12

[57] Radiothérapie ou Radio-Chimiothérapie néoadjuvante
45 Gy sur 5 semaines, chimiothérapie concomitante, 5FU + acide folinique
+ oxaliplatine
Chirurgie (ETM ++)
Discussion chimiothérapie adjuvante en RCP
FOLFOX 5FU + oxaliplatine + ac folinique

[58] Tout T N1 ou N2 M0
Il existe des stades III A, B et C

[59] N1a = 1 ganglion locorégional envahi sur 12 minimum explorés
N1b = métastases dans 2 ou 3 ganglions locorégionaux
N1c = nodules tumoraux satellites sans atteinte ganglionnaire

[60] N2a = métastases dans 4 à 6 ganglions lymphatiques locorégionaux
N2b = métastases dans plus de 7 ganglions locorégionaux

[61] FOLFOX ++ : 5-fluoro-uracile + acide folinique + oxaliplatine
FOLFIRI : 5-fluoro-uracile + acide folinique + irinotecan
Capecitabine (= 5FU per os : Xeloda*)

[62] Cetuximab (Erbitux*)
Bevacizumab (Avastin*)
Panitumumab (Vectibix*)

[63]   Chirurgie
+ chimiothérapie adjuvante, durant 6 mois, débutée dans les 8 semaines
après la chirurgie
FOLFOX 5FU + oxaliplatine + ac folinique

[64]   Radiothérapie ou Radio-Chimiothérapie néoadjuvante
45 Gy sur 5 semaines, chimiothérapie concomitante, 5FU + acide folinique
+ oxaliplatine
Chirurgie (ETM ++)
Discussion chimiothérapie adjuvante en RCP
FOLFOX 5FU + oxaliplatine + ac folinique

[65]   Tout T, Tout N, M1
IV A = M1a
IV B = M1b

[66]   M1a = métastase à un organe (dont ganglions non locorégionaux)
M2b = métastases péritonéales et/ou à plus de 1 organe

[67]   Selon RCP
Selon patient (symptomatique ? ++)
Selon résécabilité des métastases
TRAITEMENT PALLIATIF ; Principal traitement en l'absence de contre indica-
tions = chimiothérapie
Discussion chirurgie en cas d'efficacité de la chimiothérapie
Traitements symptomatiques +++ (antalgie, renutrition...)

[68]   2 ou 6 à 8 semaines après la radiothérapie néoadjuvante selon le shéma
Laparotomie ou laparoscopie
Colostomie pré-opératoire si occlusion
– *(Exérèse locale trans-anale)*
– *ou Résection antérieure du rectum avec exérèse totale du mésorectum*
Prévenir du risque de colostomie post-opératoire
Préservation des nerfs pelviens et sphincter anal si possible
Anastomose colo-rectale ou colo-anale sur réservoir en J protégé par une
iléostomie (fermée à 2 mois après contrôle radiologique)
ou Amputation abdomino-périnéale + colostomie définitive
Examen anatomopathologique

[69]   Troubles de la fonction ano-rectale : incontinence fécale, sténose anasto-
motique
Troubles de la fonction urinaire
Troubles de la fonction sexuelle

[70]   Neuropathie périphérique (oxaliplatine)

[71]   12 ganglions locorégionaux

[72] Type histologique
Stade pTNM
Qualité des marges de résection : R0, R1 ou R2
Nombre de ganglions examinés et atteints
Recherche instabilité microsatellite (MSI) en immuno-histochimie et/ou PCR
Recherche de biomarqueurs pronostics et prédictifs de réponse à une chimiothérapie adjuvante (K-RAS sauvage/muté)

[73] Avant 60 ans
Antécédent personnel ou familial au 1er degré de cancer du spectre HNPCC/sd de Lynch
Recherche systématique dans certains centres

[74] Antécédents familiaux
Endoscopie : grand nombre de polypes
Anatomopathologie/biologie moléculaire : MSI

[75] Cancer colo-rectal métastatique
Pour décider d'un traitement par thérapie ciblée anti EGFR (Erbitux)
Résistance au traitement si K-RAS muté/Traitement si sauvage

[76] Stades II + FdR de récidive
Stades III

[77] Stades II et III
Puis discussion en RCP d'une chimiothérapie adjuvante

[78] Information éclairée répétée du patient
Choix du site de la stomie avec le patient
Premier contact avec infirmier entéro-stomathérapeuthe
Éducation thérapeutique du patient

[79] 5 ans
Alternance médecin traitant et équipe spécialisée
Après ces 5 ans, le suivi rejoint celui de la population à risque ÉLEVÉ de cancer colo-rectal : coloscopie totale tous les 5 ans

[80] Examen clinique
Coloscopie totale
Imagerie (3) : TDM thoraco-abdomino-pelvienne injectée OU Radiographie thoracique + échographie abdomino-pelvienne + TDM thoraco-abdomino-pelvienne non injectée
+/– ACE

[81] Tous les 3 mois pendant 3 ans
Puis tous les 6 mois pendant 2 ans

[82] En cas de coloscopie initiale mal/non réalisée : à 6 mois post-opératoire

Dans tous les cas : à 2 ou 3 ans post-opératoire

Puis tous les 5 ans si normale

[83] COLON-RECTUM : Coloscopie TOTALE annuelle avec chromo-endoscopie

ESTOMAC : Gastroscopie de dépistage avec recherche d'Hélicobacter pylori (et éradication si recherche positive)

ENDOMÈTRE : Examen gynécologique annuel après 30 ans + échographie pelvienne endovaginale + biopsies endométriales tous les ans

+ dépistages de masse : sein, col de l'utérus & individuels : prostate, peau

[84] 91 %

[85] 70 %

[86] 11 %

[87] Cancer de l'endomètre (sd de Lynch)

Cancer de l'intestin grêle (sd de Lynch, sd de Peutz Jeghers, PAF)

Ampullome vatérien (PAF)

299. Tumeurs cutanées, épithéliales et mélaniques

Recommandations et conférence de consensus pour approfondir :

- *Guide ALD de l'HAS du 20/3/2012*
- *Guide HAS dépistage précoce mai 2013*
- *Société Française de Dermatologie*
- *Prise en charge diagnostique et thérapeutique du carcinome basocellulaire de l'adulte (2004)*
- *Prise en charge diagnostique et thérapeutique du carcinome épidermoïde cutané et de ses précurseurs (2009)*
- *Stratégie du diagnostic précoce du mélanome (2006)*
- *SOR Prise en charge du mélanome de l'adulte stade M0 (2005)*
- *Collège des enseignants*

[1] 55 ans

[2] 3 sur 4

[3] Cutané +++

Muqueux

Oculaire (mélanocytes de la rétine)

[4]   En AUGMENTATION : principal cancer en augmentation
10 % par an depuis 50 ans

[5]   PHYSIQUES :
– phototype : peau + yeux + cheveux clairs, roux, nombreux éphélides
– sensibilité importante au soleil
– nombre élevé de naevi
– naevus géant congénital
– syndrome des naevi atypiques
– antécédent personnel de cancer cutané (épithélial ou mélanique)
ENVIRONNEMENTAUX/COMPORTEMENTAUX
– antécédent familial au 1er degré de mélanome
– immunodépression, constitutionnelle ou acquise

[6]   ENVIRONNEMENTAUX/COMPORTEMENTAUX :
– exposition solaire, UV artificiels

[7]   Auto-examen cutané tous les 3 mois
Examen dermatologique annuel avec photographies, afin de comparer aux clichés antérieurs

[8]   Inspection et palpation de l'ENSEMBLE du revêtement cutané et des muqueuses accessibles
Recherche d'un naevus atypique
Recherche d'une localisation en transit, à distance, adénopathie
+/– Dermoscopie

[9]   **A**symétrie
Bords irréguliers
Couleur non homogène
Diamètre > 6 mm
Evolutivité

[10]   ABCDE : 1 critère positif = biopsie-exérèse complète

[11]   Anatomopathologie
Du naevus suspect complet
Après biopsie-exérèse COMPLÈTE et orientée : jamais de biopsie partielle

[12]   Confirmation diagnostique
Type histologique
Épaisseur : indice de Breslow +++
Présence ou absence d'une ulcération
Présence ou absence d'une régression tumorale
Index mitotique (nombre de mitoses par mm^2)
Caractère complet ou non de l'exérèse

[13]   Mutation de BRAF : plusieurs thérapies ciblées disponibles, augmentant la survie

[14]   = épaisseur tumorale maximale d'un mélanome (entre la partie supérieure de la granuleuse épidermique et la cellule tumorale la plus profonde)

[15]   Présence ou absence d'une ulcération
Présence ou absence d'une régression tumorale
Ils sous-estiment l'indice de Breslow, donc sont considérés comme des facteurs de mauvais pronostic

[16]   Épaisseur tumorale
Ulcération

[17]   T ≤ 1 mm avec ulcération ou mitoses
Ou T ≤ 2 mm sans ulcération
(c'est toujours ≤ dans les TNM)
N0 M0

[18]   Mélanome cutané de stade IIIA

[19]   Tumeur ≤ 4 mm ulcérée
Ou tumeur > 4 mm non ulcérée
N0 M0

[20]   Stade III (A, B ou C)

[21]   Aucun

[22]   Échographie locorégionale de la zone de drainage

[23]   Échographie locorégionale de la zone de drainage
TDM thoraco-abdomino-pelvienne avec injection
TDM cérébrale (ou IRM au mieux)
+/– TEP-TDM au stade III

[24]   Ganglion sentinelle

[25]   Exérèse du ganglion sentinelle
– Optionnelle pour les mélanomes > 1 mm et/ou avec ulcération
– Non recommandée si < 1 mm non ulcéré
Curage ganglionnaire
– Stades III

[26]   Chirurgie : REPRISE CHIRURGICALE (reprise car la biopsie exérèse était complète)
Avec marges adaptées (0,5 à 3 cm)
Avec examen anatomopathologique
+/– immunothérapie (interféron)

[27] Fascias

[28] 0,5 cm
C'est la marge reconnue cliniquement, et non anatomopathologique

[29] 1 cm

[30] 1 à 2 cm

[31] 2 cm

[32] 2 à 3 cm
Une marge > 3 cm n'est pas recommandée

[33] 1 cm

[34] Chirurgie seule

[35] Chirurgie
+ Immunothérapie : interféron alpha si indice de Breslow > 1,5 mm

[36] Chirurgie
+ curage ganglionnaire
+/– immunothérapie par interféron alpha
+/– chimiothérapie selon RCP (tumeur peu chimiosensible)
+/– radiothérapie selon RCP (tumeur peu radiosensible)

[37] +/– chirurgie des métastases systématiquement discutée
+/– chimiothérapie et/ou thérapies ciblées
+/– radiothérapie

[38] L'ipilimumab

[39] Vemurafenib

[40] 12 à 18 mois

[41] Syndrome pseudo-grippal avec asthénie (paracétamol)

[42] Protection solaire +++ = PHOTOPROTECTION
– physique (vêtements, crème solaire indice 100)
– précautions (horaires)
Photoprotection des enfants et adolescents
Formation à l'AUTO-EXAMEN cutané (3 étapes 15 minutes)

[43] Examen direct
Miroir en pied
Miroir à main

[44] Un examen dermatologique de dépistage des apparentés au 1er degré
10 % des mélanomes sont familiaux

[45]   L'examen clinique

[46]   Indice de Breslow élevé péjoratif
        Présence d'une ulcération : péjoratif
        D'où leur utilisation dans la classification pTNM

[47]   Index mitotique : nombre de mitose par mm²

[48]   Dosage sanguin du taux de LDH

[49]   Rapprochée durant 5 ans
        À VIE ENSUITE +++

[50]   Clinique seul : tous les 6 mois durant 5 ans

[51]   Clinique : tous les 3 mois durant 5 ans
        Échographie locorégionale de l'aire de drainage : tous les 3 à 6 mois durant
        5 ans
        Stades III : TDM thoraco-abdomino-pelvienne + cérébrale, TEP-TDM

[52]   Inspection + palpation de tout le tégument & cicatrices
        Palpation des aires ganglionnaires
        Recherche des complications des traitements
        Rappel au patient : dépistage (auto-examen…) et photoprotection
        Qualité de vie

[53]   90 % à 5 ans
        20 % en situation métastatique

CARCINOME ÉPIDERMOÏDE CUTANÉ (CEC)/ SPINO-CELLULAIRE

[54]   De novo
        Précurseurs : kératose actinique, maladie de Bowen.

[55]   Dose TOTALE d'UV reçus au cours de la vie

[56]   Antécédent de tumeur cutanée
        Phototype clair (1, 2)
        Co-facteurs : tabac (CEC de la lèvre inférieure), infection HPV (CEC génitaux
        et anaux)
        Immunodépression ++ (dont transplantés d'organes)
        Ulcération chronique, cicatrice, inflammation chronique

[57]   Photoprotection ++, surtout durant l'enfance, adolescence
        Éviter l'exposition entre 12 heures et 16 heures, éviter UV artificiels + Physique :
        vêtements, crème solaire.

[58]   Pas de programme de dépistage de masse
Dépistage des sujets à risque après 50 ans (cf. facteurs de risque)
Surveillance rapprochée 5 ans après diagnostic d'une tumeur cutanée, puis
à vie

[59]   50 %

[60]   Épiderme, mais n'intéresse pas la totalité de son épaisseur

[61]   Zone péri tumorale avec des anomalies infra cliniques et multifocales, pouvant
être le lit de récidives ou de nouvelles lésions néoplasiques

[62]   Abstention possible si désir du patient
Cryothérapie ++
Laser, électro-coagulation
Crèmes : 5FU ++, imiquimod, diclofénac, PDT
Chirurgie

[63]   Échec d'un traitement bien conduit
Kératose actinique hypertrophique

[64]   Carcinome épidermoïde (CE) intra-épithélial

[65]   Exérèse chirurgicale + contrôle anapath
Cryothérapie agressive
Si seulement les 2 précédentes ne sont pas réalisables : chimiothérapie
LOCALE par crème 5FU, PDT ou imiquimod, après preuve anatomopatho-
logique et suivi d'une surveillance rapprochée

[66]   Ganglions : 80 % des métastases

[67]   Diagnostic clinique incertain
Traitement non chirurgical envisagé
Confirmation diagnostique pré-opératoire avant une intervention extensive

[68]   Localisation : péri-orificielle, zones non isolées, sur radiodermite, cicatrice
ou ulcère
Taille de la tumeur > 2 cm
Adhérence aux plans profonds
– Signes neurologiques d'infiltration
– Récidive locale
– Immunodépression

[69]   Type histologique : acantholytique, muco-épidermoïde, desmoplastique
Degré de différenciation : moyen à indifférencié
Profondeur : Clark ≥ 4
Profondeur : épaisseur > 3 mm
Présence d'un envahissement périnerveux

[70] Aucun critère de mauvais pronostic, clinique et anapath

[71] ≥ 1 critère de mauvais pronostic

[72] La prise de décision pour les CEC du groupe 1 doit être effectuée lors d'une RCP
Pour les CEC de groupe 1, la RCP est facultative !

[73] CLINIQUE :
– examen de tout le tégument
– aires ganglionnaires
– évaluation du phototype et de l'héliodermie
– & évaluation gérontologique ++
PARACLINQUE : aucun

[74] CINQUE :
– Idem
– + recherche de localisations métastatiques
– & évaluation gérontologique ++
PARACLINIQUE :
– échographie locorégionale de l'aire de drainage
– possibilité de proposer la procédure du ganglion sentinelle
Pas d'autres examens en l'absence de point d'appel

[75] Échographie de la zone de drainage et/ou TDM
Biopsie chirurgicale de l'adénopathie pour examen anatomopathologique

[76] Aucune

[77] Carcinologique : exérèse complète
Fonctionnel (orifices de la face)
Esthétique
NPO : examen anatomopathologique sur prélèvement ORIENTÉ, examen soigneux des marges latérales et profondes
Le curage ganglionnaire n'est pas systématique ; le protocole du ganglion sentinelle peut être proposé.

[78] 4 à 6 mm

[79] ≥ 6 mm

[80] Doit intéresser l'hypoderme
Doit respecter l'aponévrose/périoste si non envahi

[81] Biopsie de la tumeur pour confirmation diagnostique par l'anatomopathologiste

[82] Discussion en RCP obligatoire
Radiothérapie externe

Curiethérapie interstitielle
Chimiothérapie systémique (seulement si échec de la chirurgie et radiothérapie)
Radio-chimiothérapie combinée
Thermo-chimiothérapie sur membre isolé

[83] Maladie génétique prédisposant aux cancers cutanés (xeroderma pigmentosum)

[84] Exérèse chirurgicale de la tumeur primitive et des métastases
Discussion radiothérapie adjuvante

[85] Curage ganglionnaire complet pour examen histologique
Discussion d'une irradiation adjuvante en RCP

[86] Nombre de ganglions métastatiques
Taille des ganglions métastatiques
Présence d'une rupture capsulaire

[87] Recherche une récidive/métastase
Recherche une autre tumeur cutanée : baso-cellulaire, mélanome

[88] Éducation Thérapeutique du Patient (ETP) avec apprentissage de l'AUTO-EXAMEN, à l'AUTO-DÉTECTION d'une récidive et de la PHOTOPROTECTION
Examen clinique annuel
Aucun examen hors signes d'appel

[89] Éducation Thérapeutique du Patient (ETP) avec apprentissage de l'AUTO-EXAMEN, à l'AUTO-DÉTECTION d'une récidive et de la PHOTOPROTECTION
Examen clinique tous les 3 à 6 mois pendant minimum 5 ans
Échographie de la zone de drainage tous les 6 mois pendant 5 ans

300. Tumeurs de l'estomac

Recommandations et conférence de consensus pour approfondir :
- *Guide ALD de l'HAS du 24/10/2011*
- *Cancer de l'estomac : prise en charge des adénocarcinomes de l'estomac : SOR 2003*
- *Collège des enseignants*

[1] Proximal : cardia (incidence en augmentation, symptome = dysphagie)
Corps (fundus) et grande tubérosité
Distal : antre (pylore : vomissements tardifs)

[2] Phlébite
Acanthosis nigricans
Cancer de l'estomac et pancréas = hyper-coagulabilité ++

[3] Épithélial : adénocarcinome (90 %)
Lymphome malin non Hodgkinien (3 %) : MALT (petites cellules : bas grade de malignité) ou grandes cellules (haut grade de malignité)

[4] Type intestinal glandulaire
Diffus, prédominance de cellules mucosécrétantes en bagues à chaton (incluse les linites) (incidence en augmentation

[5] Gastrite chronique (Hélicobacter pylori +++)
Tabac
Alimentation salée, fumée

[6] Bacille gram négatif
Transmission oro-fécale

[7] Adénocarcinome gastrique
Lymphome non Hodgkinien gastrique (MALT)

[8] Infection à Hp
Gastrite chronique atrophique
Métaplasie
Dysplasie
Cancer
Concerne moins de 1 % des personnes infectées par Hp

[9] Gastrite chronique atrophique + métaplasie (Hp)
Maladie de Biermer
Gastrectomie partielle
Ulcère gastrique (biopsies systématiques berges + fond)
Maladie de Ménétrier (gros plis de la muqueuse)
Polypes gastriques adénomateux

[10] Antécédent familial de cancer de l'estomac
Syndrome de Lynch/HNPCC
Cancer gastrique diffus héréditaire (cadhérine E)
+/– PAF

[11] Endoscopie œso-gastro-duodénale
Avec biopsies multiples (> 10) de la lésion suspecte, des zones saines
Pour examen anatomopathologique, recherche de surexpression HER2 et recherche d'Hélicobacter pylori

[12] Scanner thoraco-abdomino-pelvien avec injection de PdC

[13]   Écho-endoscopie : extension pariétale et ganglionnaire
+/– Transit œso-Gastro-Duodénal : localisation pré-opératoire/
pré-irradiation
+/– Laparoscopie exploratrice si TDM douteux

[14]   Bilan nutritionnel
Clinique : poids, taille, IMC, % perte de poids, PS de l'OMS
Paraclinique : albumine
*Beaucoup de patients dénutris au diagnostic, et en moyenne on observe une
perte de poids de 10 % du poids corporel total après une gastrectomie.*

[15]   Détermination du statut du récepteur HER2 (surexpression = thérapie ciblée :
Herceptin*)

[16]   Adénocarcinome gastrique avant 40 ans
Antécédent familial de cancer de l'estomac, digestif ou gynécologique

[17]   Recherche mutation de la Cadhérine E (CDH1) (adénocarcinome gastrique
diffus héréditaire)
Recherche syndrome de Lynch (MSI, séquençage)

[18]   Chirurgie : gastrectomie totale ou partielle (4/5es)
T2 = envahissement de la musculeuse (= TNM colo-rectal)

[19]   Chimiothérapie (curative ou palliative)
Puis chirurgie (hors stades métastatiques)
*N'est pas strictement au programme, mais très simple à retenir. Si la tumeur
dépasse la musculeuse, chimiothérapie première. Chimiothérapie à visée
curative si M0, palliative si M1.*

[20]   Éradication d'Hélicobacter pylori (70 % de régression)

[21]   Contrôle des symptômes
Recherche et prise en charge dénutrition
Supplémentation mensuelle en vitamine B12 IM à vie

[22]   L'envahissement ganglionnaire

[23]   Recherche et éradication d'Hélicobacter pylori
*+ consultation oncogénétique après accord du patient en cas de syndrome
héréditaire (Lynch, PAF...)*

301. Tumeurs du foie, primitives et secondaires

Recommandations et conférence de consensus pour approfondir :

- *Guide ALD de l'HAS du 11/2010*
- *Thésaurus National de cancérologie Digestive 2011*
- *Collège des enseignants*

[1]   Métastases (cancer digestif principalement)

[2]   90 %

[3]   Cirrhose d'origine alcoolique
        Hépatite virale C
        NASH
        Hépatite virale B

[4]   Hépatite virale C

[5]   Infection chronique par le virus de l'hépatite B (ADN)
        Hémochromatose (génétique ++)

[6]   1 à 5 % par an

[7]   Conseils pour éviter les virus hépatotropes (alimentation, rapports sexuels
        protégés, conseils aux toxicomanes…)
        Vaccination hépatite A et B

[8]   Tous les 6 mois

[9]   Dosage de l'alpha-fœto-protéine
        Échographie hépatique

[10]   10 % : longtemps asymptomatique, donc diagnostic souvent tardif, d'autant
        plus dans les milieux sociaux défavorisés

[11]   Bilan étiologique (sérologies virales…)
        Appréciation de l'insuffisance hépato-cellulaire (score de Child Pugh)
        Évaluation de l'hypertension portale (FOGD)

[12]   Insuffisance cardiaque
        Cancer des VADS

[13]   Une TDM hépatique avec injection de produit de contraste, et clichés à 4
        temps d'injection
        Avis spécialisé

[14] Non injecté
Artériel
Portal
Tardif

[15] Image non caractéristique au TDM : l'IRM est un meilleur examen pour caractériser une lésion hépatique, et différencier tumeur bénigne/maligne (avec une séquence de diffusion)

[16] Thrombose porte
Lésions satellites

[17] Ponction-biopsie hépatique, écho ou scanno-guidée
Toute confirmation d'un cancer nécessite une preuve anapath

[18] 2 examens d'imagerie typique : hypervascularisation et « wash out »
Sinon = biopsie

[19] 1 examen d'imagerie typique : hypervascularisation + « wash out »
ou alpha-fœto-protéine > 200 ng/mL
Sinon = biopsie

[20] 30 %

[21] Maladie hépatique/cirrhose : score de Child Pugh
Caractéristiques de la tumeur (nombre, taille, envahissement vasculaire)
État général du patient = opérabilité

[22] Chirurgie : hépatectomie totale avec transplantation hépatique
Réalisable pour seulement 5 % des patients

[23] Pour la transplantation hépatique
Transplantation seulement si :
– 1 tumeur < 5 cm
– ou 3 tumeurs dont la plus grosse < 3 cm

[24] 65 ans
+ non recommandée en cas d'alcoolisme actif
+ contre indiquée si observance imprévisible

[25] Chirurgical : hépatectomie partielle, si la fonction hépatique le permet

[26] Chirurgie : hépatectomie partielle (seulement si Child Pugh A)
Ablation tumorale percutanée, principalement par radiofréquence (chaleur), parfois cryothérapie (froid)

[27] 85 % de récidives à 5 ans après ablation tumorale (type radiofréquence, hépatectomie partielle)

[28]   Décompensation d'une insuffisance hépato-cellulaire : ictère, ascite
       D'où la restriction de cette chirurgie aux patients avec une fonction hépatique
       conservée, Child Pugh A

[29]   70 % à 5 ans après transplantation hépatique

[30]   Chimio-embolisation artérielle intra-hépatique
       Thérapies ciblées

[31]   Inhibiteur de la tyrosine kinase : sorafénib

[32]   Pas de biopsie d'emblée
       Suivi +++ : échographie tous les 3 à 6 mois pendant 2 ans

[33]   Le greffon
       Complications des traitements immunosuppresseurs
       Récidive de la maladie initiale/CHC

[34]   Examen clinique
       Alpha-fœto-protéine si initialement élevé
       TDM ou IRM hépatique

302. Tumeurs de l'œsophage

Recommandations et conférence de consensus pour approfondir :

■ *Guide ALD de l'HAS du 11/2011*
■ *Thésaurus National de cancérologie Digestive 2007*
■ *Collège des enseignants*

[1]   Carcinome épidermoïde : > 65 % mais en diminution
       Adénocarcinome : 25 %, en augmentation

[2]   Recherche d'adénopathie sus-claviculaire et cervicales
       Recherche une hépatomégalie

[3]   Tabac
       Alcool
       Tabac + Alcool
       Antécédent personnel de cancer des VADS
       Antécédent de radiothérapie médiastinale

[4]   Endobrachyœsophage = œsophage de Barett : pré-cancéreux
       – reflux Gastro Œsophagien
       – obésité
       Tabac

[5] Dysphagie

[6] Endoscopie œsophagienne + coloration au lugol
Avec biopsies dirigées
Biopsies multiples de toutes lésions
Pour examen anatomopathologique

[7] TDM thoraco-abdominale avec injection de produit de contraste

[8] Écho-endoscopie œsophagienne
TEP-TDM
Échographie cervicale et sus-claviculaire +/– biopsies
En cas de signes cliniques : IRM cérébrale, scintigraphie osseuse
Si épidermoïde ou ADK + fumeur : endoscopie trachéo-bronchique
Si fumeur : pan-endoscopie des VADS au tube rigide
+/– Transit Œsophagien simple (pas un TOGD)

[9] Bilan nutritionnel, clinique et biologique ++
Évaluation de l'état général, et cardio-pulmonaire
Aide au sevrage tabac et alcool

[10] Adénocarcinome métastatique de la jonction œso-gastrique
Recherche du statut du récepteur HER2 à partir de biopsies gastriques

[11] Chirurgie : œsophagectomie trans thoracique
Le principal organe de remplacement est l'estomac

[12] Pas de gastrostomie pour ne pas abimer le greffon gastrique
Sonde naso-gastrique ou Jéjunostomie

[13] Toujours rester en position assise lors de la nutrition
Risque de reflux/inhalation
Ceci n'est pas le cas chez un patient bénéficiant d'une jéjunostomie

[14] Traitement conservateur endoscopique : mucosectomie

[15] Chirurgie curative

[16] Radio-chimiothérapie néoadjuvante puis chirurgie

[17] Chimiothérapie palliative (cisplatine, 5FU, épirubicine)
Soins symptomatiques (endoprothèse...)

[18] Examen clinique
Endoscopie haute
Scanner thoraco-abdominal
Examen ORL

[19]   Recherche d'une récidive
Recherche d'un second cancer (poumon, VADS, estomac)
Aide au sevrage tabagique et alcoolique
Recherche et prise en charge des complications du traitement

[20]   Sténose œso-gastrique (dilatations, prothèse)
Fistules anastomotiques
RGO
Diarrhée motrice
Syndrome du petit estomac
Dénutrition

[21]   Examen clinique
Endoscopie haute (+ coloration au lugol si épidermoïde
TDM thoraco-abdominale
Examen ORL annuel

303. Tumeurs de l'ovaire

Recommandations et conférence de consensus pour approfondir :

- *Guide ALD de l'HAS du 4/3/2010*
- *Cancer de l'ovaire : traitements chirurgicaux et traitements adjuvants : INCa 2019*
- *Cancer de l'ovaire : traitement médical des tumeurs épithéliales malignes : SOR 2007*
- *Cancer de l'ovaire : traitement chirurgical des tumeurs épithéliales malignes : SOR 2007*
- *Collège des enseignants*

[1]   Tumeur maligne de l'ovaire
Tumeur bénigne de l'ovaire
Kyste fonctionnel (exclus de la définition des tumeurs de l'ovaire)

[2]   Avancé ++ / Métastatique
75 % stades IIIB et IV

[3]   Car longtemps asymptomatiques
Puis symptômes VARIÉS & NON SPÉCIFIQUES/négligés : douleurs abdominales ou pelviennes, ballonnement, prise de poids, pertes vaginales, AEG...

[4]   Génétique ++ (BRCA 1&2 : seins-ovaires avant 60 ans...)

[5]   Ménarche précoce
Ménopause tardive
Nulliparité

[6]   Contraception orale ++
Grossesse
Allaitement
Ligature des trompes

[7]   Dissémination au péritoine, métastases hépatiques
Syndrome occlusif

[8]   Cystadénocarcinome séreux

[9]   Épithéliaux : adénocarcinomes (90 %) : séreux, mucineux, épithélioïdes, à cellules claires, à cellules transitionnelles, mixtes, indifférenciés
Non épithéliaux (patientes jeunes ++) : germinales...
Tumeurs « borderline »

[10]   Tumeurs germinales (enfant, femme jeune ++)
Très chimiosensibles
Traitement = annexectomie unilatérale (préserver fertilité chez les femmes jeunes)

[11]   B-HCG
Alpha-fœtoprotéine
LDH
Certaines sont non sécrétantes

[12]   CA 125 +++ : à doser systématiquement
ACE et CA 19.9 : ces deux marqueurs ne sont à doser qu'en cas de suspicion de tumeur mucineuse de l'ovaire ou de tumeur d'origine digestive (donc après analyse anatomopathologique)

[13]   Le CA 125 est le marqueur des tumeurs de type séreux
Il doit être dosé quel que soit le type, avant analyse anatomopathologique, mais il prendra tout son intérêt dans le cadre des tumeurs séreuses (les plus fréquentes)

[14]   Informer : nécessité d'un contrôle
Contrôle à 3-6 mois par échographie
Disparu = kyste fonctionnel

[15]   16 semaines d'aménorrhée

[16]   Cœlioscopie
Kystectomie

[17]   Suspicion de kyste organique
Cœlioscopie : exérèse et examen extemporané
Voire laparotomie d'emblée si la tumeur est volumineuse

[18]   Taille > 5 cm
Kyste multiloculaire
Paroi épaisse
Végétations endo + exo kystique
Liquide intra-kystique échogène
Tumeur mixte
Association à un épanchement intra-péritonéal
Hypervascularisation au doppler
Résistances circulatoires basses au doppler

[19]   Possible 2e avis échographique
IRM pelvienne en cas de tumeur indéterminée à l'échographie
Dosage du marqueur CA-125

[20]   TDM thoraco-abdomino-pelvienne avec injection de produit de contraste

[21]   Kyste organique = persistant à 3-6 mois = exérèse
Cœlioscopie avec kystectomie

[22]   Laparotomie d'emblée ++
Exérèse de la tumeur et examen extemporané
Suite selon anatomopathologie

[23]   Examen CLINIQUE : palpation abdominale, touchers pelviens, aires ganglionnaires
Échographie abdomino-pelvienne, par voie sus-pubienne et endovaginale

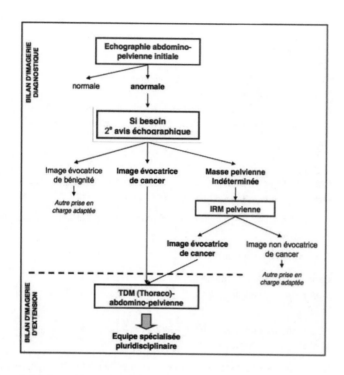

[24] Évalué lors de la chirurgie

[25] Fibroscopie gastrique (Krükenberg)
Coloscopie totale
Bilan sénologique : mammographie bilatérale symétrique +/– échographie

[26] TOUJOURS ANATOMOPATHOLOGIQUE, sinon pas de chimio
Cœlioscopie : biopsies péritonéales
Ou biopsies péritonéales sous contrôle imagerie

[27] Chirurgie *(incision médianne xypho-pubienne, annexectomie bilatérale, hysté-rectomie totale, omentectomie totale, appendicectomie (++ si mucineuse), curage ganglionnaire pelvien et aortique infra-rénal, cytologies péritonéales, biopsies péritonéales)*

[28] Objectif = R1 +++ : résection macroscopique complète des lésions cancé-
reuses (idéalement R0 : microscopique, déterminé après examen anatomo-
pathologique)
RAPPEL :
*R0 = pas de résidu microscopique (l'anatomopathologiste considère que les
marges de résection sont saines)*
R1 = pas de résidu macroscopique (le chirurgien ne voit plus de tumeur)
R2 = résidu tumoral macroscopique (visible en per-opératoire)

[29] Chirurgie de « second look »

[30] Chirurgie : annexectomie unilatérale
Pas d'hystérectomie = nécessité d'une hystéroscopie avec curetage
Hystérectomie recommandée après achèvement du projet parental

[31] Chimiothérapie néoadjuvante si non résécable d'emblée, puis chirurgie
« d'intervalle »

[32] Chimiothérapie adjuvante

[33] Cancer épithélial non mucineux de l'ovaire avant 70 ans
Contexte familial de cancer du sein/ovaire (dont cancer du sein chez
l'homme)

[34] Recherche de mutations BRCA 1 et 2
+ si côlon ou endomètre : sd de Lynch

[35] SEIN : surveillance rapprochée +/– mastectomie bilatérale prophylactique
OVAIRES : surveillance rapprochée puis ovariectomie bilatérale après réalisation du projet parental (décision patiente + accord RCP)

[36] L'absence de résidu tumoral après la chirurgie
Autre majeur : degré de différenciation : grade 1, 2 ou 3

[37] Anticorps monoclonal anti-angiogénique, ciblant le VEGF : Avastin* (bevacizumab)
*Ses indications ne sont pas au programme, mais la preuve récente de son effica-
cité en association aux stades métastatiques en fait un élément à connaître.*

304. Tumeurs des os primitives et secondaires

Recommandations et conférence de consensus pour approfondir :
- *Guides HAS*
- *Collège national des enseignants*

[1] La calcémie (+ albuminémie : nombreux patients dénutris)

[2] Tumeurs secondaires : métastases de cancers solides ou hématologiques

[3] Douleurs osseuses résistantes aux antalgiques de palier 1-2
Tuméfaction
Impotence fonctionnelle

[4] Nocturnes
Sensibles à l'aspirine
Exérèse percutanée : laser, radiofréquence

[5] Nidus
Cocarde

[6] Métastase ostéocondensante (prostate ++)
Maladie de Paget osseuse
Maladie de Hodgkin
Mal de Pott (spondylodiscite tuberculeuse)

[7] Au-dessus de T4
Recul du mur postérieur ++ (signes neurologiques ?)
Fracture asymétrique
Ostéolyse de la corticale
Lyse d'un pédicule/arc postérieur : vertèbre « borgne »
Atteintes des parties molles ++
Épidurite à l'IRM

[8] Ostéomyélite : fièvre
Fébricule fréquent dans le sarcome d'Ewing

[9] Ostéochondrome (exostose ostéogénique)
Ostéome ostéoide
Fibrome non ossifiant

[10] Sarcome d'Ewing (enfant & adolescent)
Ostéosarcome (adolescent & adulte jeune)

[11] Chrondrosarcome
Tumeurs à cellules géantes

[12]

	Bénin	Malin
Corticale	intacte	rompue
Limites	nettes	floues
Réaction du périoste	non	présente
Parties molles	normales	envahies
Nombre de lésions	isolée	multiples
Évolution	lente	rapide

[13] Métaphyses des os longs (tibia proximal ++)

[14] Diaphysaire
Os plats (bassin...)

[15] Bulbe d'oignon (tumeur d'évolution peu rapide) (image 1)
Feu d'herbe (tumeur d'évolution très rapide) (image 2)
Triangle de Codman (image 3)
Car le périoste ne se développe pas assez vite pour recouvrir la tumeur osseuse

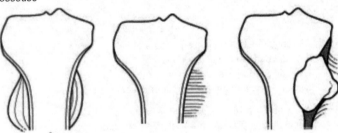

[16] En urgence : BIOPSIE OSSEUSE, au trocart ou chirurgicale
Par un chirurgien sénior dans un centre de référence ++
Avec trajets de biopsies codifiés pour exérèse chirurgicale

[17] Chirurgie : exérèse complète monobloc, + de la voie d'abord et trajets de biopsie
Chimiothérapie néoadjuvante + adjuvante

[18] TDM centrée sur la lésion avec injection (extension osseuse)
IRM centrée sur la lésion avec injection (extension aux parties molles)
Scintigraphie osseuse : autres lésions ?
TDM thoracique : métastases pulmonaires ?

[19] Phosphatases alcalines (d'origine osseuse, produit de la dégradation)
Calcémie

[20] Recherche du transcrit EWS : t(11 ;22)

[21] Biopsie Ostéo Médullaire, afin de rechercher un envahissement médullaire

[22] Radiographies standard
TDM centrée sur la lésion
IRM ++ si vertébrale
Scintigraphie osseuse SYSTÉMATIQUE

[23] Guérison spontanée à l'adolescence

[24] **P**oumon
Prostate
Rein
Sein
Thyroïde
+ vessie : métastases osseuses d'emblée, sans relai ggl

[25] Anti résorptifs osseux : bisphosphonates (zoledronate), denosumab
Corticoïdes
Le denosumab est un nouvel antirésorptif, sous forme d'une injection sous cutanée mensuelle, ayant l'AMM en prévention des « évènements osseux » (radiothérapie, fracture...) en oncologie.

[26] Ostéonécrose de la mâchoire (maxillaire, mandibulaire)
Hypocalcémie

[27] Panoramique dentaire et consultation stomatologique
Biologie : créatininémie + calcul de la clairance, calcémie
Supplémentation vitamino-calcique associée

[28] Surface osseuse de la mâchoire mise à nu qui ne cicatrise pas après 8 semaines d'évolution
Après constatation par un professionnel de santé
Chez un patient recevant des bisphosphonates ou du denosumab
Et qui n'a pas eu de radiothérapie régionale.

[29] Hospitalisation : considéré comme fracture instable
Immobilisation stricte au lit, corset rigide
Avis orthopédique en urgence + neurochirurgien pour discuter d'une décompression
Antalgie adaptée (paliers 1 puis 2, 3 ou 3 d'emblée si EVA > 6)
Corticothérapie en bolus si compression médullaire

305. Tumeurs du pancréas

Recommandations et conférence de consensus pour approfondir :

- *Guide ALD de l'HAS du 6/12/2010*
- *Thésaurus National de cancérologie Digestive 2011*
- *Cancer du pancréas : intérêt de la chimio-radiothérapie des adénocarcinomes : SOR 2008*
- *Collège des enseignants*

[1] Adénocarcinome canalaire (90 %)

[2] Cystadénome séreux (bénin)
Cystadénome mucineux (potentiel malin)
Tumeurs endocrines : insulinome, gastrinome, VIPome...
TICPMP : Tumeurs intracanalaires papillaires et mucineuses du pancréas
Ampullomes

[3] Épreuve de jeun (72 h)
Peptide C élevé (insuline endogène), insulinémie élevée non adaptée à l'hypoglycémie

[4] Test au synacthène (+++) : insuffisance surrénale
Insuffisance corticotrope
TSH : hypothyroïdie
HCG : grossesse
Bilan hépatique : alcoolisme
Dénutrition
Médicaments (insuline, sulfamides hypoglycémiants)

[5] Tabagisme
Antécédents familiaux de cancer du pancréas
+/- obésité, diabète, alcoolisme, pancréatite chronique (suspectés)

[6] Moins de 5 %

[7] 80 % tête du pancréas

[8] Ictère cholestatique nu (sans fièvre)
Douleurs abdominales
Altération de l'état général : amaigrissement ++

[9] Apparition d'un diabète après 50 ans
Déséquilibre d'un diabète anciennement équilibré
Pancréatite aiguë en l'absence d'alcoolisme ou de maladie lithiasique

[10] Non : marqueur non spécifique
Élevé en cas de cholestase
Possible de doser pour le suivi en cas d'élévation pré-opératoire, sans recommandation en ce sens

[11] Ponction-biopsie de la tumeur, par écho-endoscopie

[12] 20 %
Seuls ces cancers peuvent bénéficier d'un traitement curatif

[13] Échographie abdominale
Visualise la tumeur, évalue l'extension, visualise la dilatation des voies biliaires
Ne permet pas d'éliminer formellement le diagnostic en cas de normalité

[14] TDM abdomino-pelvienne avec injection de produit de contraste

[15] Métastase viscérale
Carcinose péritonéale
Envahissement vasculaire : mésentérique supérieure, tronc cœliaque, artère hépatique
Thrombose veineuse portale ou mésentérique
Envahissement ganglionnaire à distance
Une sténose du tronc cœliaque n'est pas une contre-indication chirurgicale, mais doit être traitée avant la chirurgie

[16] Tumeurs a priori résécables (10 %) : chirurgie d'emblée
Tumeurs avec doute sur la résécabilité (10 %)
Tumeurs non résécables (80 %)

[17] Doute sur l'extension loco-régionale : écho-endoscopie
Doute sur des métastases hépatiques : IRM hépatique

[18] Pas de biopsie
Examen anatomopathologique de la pièce d'exérèse

[19] 20 % à 5 ans

[20] Dérivation des voies biliaires
Endoprothèse mise en place par voie endoscopique (ou percutané)

[21] DPC : Duodéno-Pancréatectomie Céphalique

[22] SPG : Spléno-Pancréatectomie Gauche

[23] 6 cures de Gemcitabine en monothérapie

[24] Examen clinique
Glycémie à jeun bi-annuelle en cas de résection chirurgicale
TDM abdomino pelvienne injectée

306. Tumeurs du poumon, primitives et secondaires

> **Recommandations et conférence de consensus pour approfondir :**
> - *Guide ALD de l'HAS du 16/7/2009*
> - *Cancer du poumon non à petites cellules : formes localisées non opérables : INCa 2010*
> - *Cancer bronchique non à petites cellules : traitement péri-opératoire : SOR 2007*
> - *Cancer bronchique primitif non à petites cellules : pratiques chirurgicales : INCa 2010*
> - *Cancers bronchopulmonaires et pleuraux : place de la TEP-FDG au 18F-FDG : INCa 2009*
> - *Collège des enseignants*

[1]   25 %, en augmentation (+ 6 % par an entre 2000 et 2005)

[2]   30 000 décès/an
1re cancer en terme de mortalité ++

[3]   2e cancer de l'homme (derrière prostate)
3e cancer de la femme (derrière sein + colo-rectal)

[4]   80 %

[5]   Tabagisme (actif et/ou passif)
Exposition à des toxiques (amiante ++, nickel, cobalt, arsenic, chrome, radon)

[6]   Radiographie de thorax, de face et de profil
À compléter par un scanner thoracique injecté, avec fenêtre médiastinale et parenchymateuse

[7]   Paralysie récurrentielle gauche
Adénopathie comprimant le nerf récurrent gauche
Dans la fenêtre aorto-pulmonaire, sous la crosse de l'aorte

[8]   Turgescence des jugulaires
Œdème en pèlerine
Circulation collatérale thoracique antérieure
Œdème/hypertension intra-cérébrale (céphalées, œdème papillaire...)
Cyanose de la face

[9] Douleur radiculaire C8-D1 homolatérales (épaule, bras, main)
Troubles sympathiques : syndrome de Claude-Bernard Horner homolatéral
(myosis, ptosis, enophtalmie, tachycardie, troubles de la sudation)

[10] Hippocratisme digital : ostéo-arthropathie pneumique hypertrophiante de
Pierre Marie (CBP-NPC ++)
Thrombo-phlébite
Hypercalcémie
SiADH : Sécrétion inappropriée d'Hormone Anti-Diurétique (hyponatrémie
de dilution) : syndrome de Schwartz Bartter (CBP-PC)
Pseudo-myasthénie : syndrome de Lambert Eaton
Syndrome cordonnal postérieur : syndrome de Denny Brown
Pseudo-cushing (CBP-PC)

[11] Scanner thoraco-abdominal avec injection

[12] Un certificat médical initial

[13] ALD 30 : 100 % (à la CPAM, par le médecin traitant)
Maladie professionnelle (présomption d'origine, à la CPAM, par le patient)
FIVA : Fond d'Indemnisation des Victimes de l'Amiante (ou recours en justice
pour faute inexcusable)
Cessation anticipée d'activité

[14] Foie
Os
Système nerveux central
Surrénales

[15] Adénocarcinome : 45 % (en augmentation)
Carcinome épidermoïde : 35 %
Carcinome à grandes cellules : 5 %

[16] Aucun à visée diagnostique
CYFRA 21 pour le cancer non à petites cellules : valeur pronostique
NSE pour le cancer à petites cellules : valeur pronostique

[17] ANATOMOPATHOLOGIQUE +++
– Fibroscopie bronchique avec biopsies des éperons et trans-bonchiques
– Biopsies transpariétales scanno-guidées sous anesthésie locale
– Biopsies d'adénopathies périphériques
– Cytoponction ganglionnaire écho-guidée sous endoscopie bronchique
ou œsophagienne
– Biopsies de métastases accessibles
– Médiastinoscopie avec biopsies d'adénopathies péritrachéales
– Ponction-biopsie pleurale en cas d'épanchement pleural

- Thoracoscopie
- Vidéothoracoscopie
- Thoracotomie exploratrice avec biopsies/« wedge », en cas d'échec ou contre-indication aux autres techniques moins invasives

[18] Radiographie de thorax de face, 1 heure après le geste (recherche de complication type pneumothorax, hémothorax…)

[19] Loco-régional : scanner thoracique injecté
Métastases hépatiques et surrénaliennes : systématiquement scanner abdominal avec injection +/− échographie abdominale
Métastases cérébrales : systématiquement scanner cérébral injecté ou IRM cérébrale au mieux
Métastases osseuses : scintigraphie osseuse en cas de symptômes
IRM thoracique en cas de tumeur de l'apex
+/− TEP scanner

[20] TEP-scanner
EFR + Gaz du sang
ECG + Échographie cardiaque trans thoracique
Scintigraphie pulmonaire de ventilation/perfusion

[21] VEMS < 1 L
VEMS < 30 % de la théorique
Hypercapnie aux gaz du sang (associés aux EFR)

[22] Ponction pleurale : souvent réalisée, insuffisante
Vidéothoracoscopie pour biopsies dirigées ++
Exploration chirurgicale : mini-thoracotomie
Biopsie pleurale par voie transpariétale, écho ou scanno guidée
Analyse anatomopathologique par un panel d'expert, groupe MESOPATH

[23] Radiothérapie préventive des points de ponction
Risque d'ensemencement

[24] Proximales : bronches lobaires et/ou segmentaires
Les adénocarcinomes sont souvent en périphérie

[25] Hémoptysie

[26] Tapisse les parois alvéolaires sans les détruire
Production de mucines
Syndrome de comblement alvéolaire à la radiographie
Bronchorrhée clinique

[27] Chirurgie : lobectomie ou pneumonectomie
+/− traitement adjuvant (radio et/ou chimiothérapie)

[28]　LOCALISÉ : stades I et II (T1, T2, N0, N1)
　　　　LOCALEMENT AVANCÉ : stade III (T3, T4, N1, N2, N3)
　　　　DISSÉMINÉ : stade IV (M1)

[29]　Stade I : chirurgie +/– chimiothérapie adjuvante, selon RCP
　　　　La radiothérapie est une alternative en cas de non résécabilité ou non opérabilité

[30]　Stades II : chirurgie + chimiothérapie adjuvante +/– rarement radiothérapie adjuvante

[31]　La radiofréquence

[32]　T1 N0 M1

[33]　≤ 3 cm
　　　　Entouré de poumon ou de plèvre viscérale

[34]　Entre 3 et 7 cm
　　　　À plus de 2 cm de la carène

[35]　> de 7 cm
　　　　ou envahissement de : paroi thoracique, diaphragme, nerf phrénique, plèvre, péricarde
　　　　ou tumeur de la bronche souche < 2 cm de la carène sans l'envahir
　　　　ou nodule tumoral distinct dans le même lobe
　　　　ou atélectasie/pneumopathie obstructive d'un poumon entier

[36]　Envahissement : médiastin, cœur, gros vaisseaux, trachée, nerf laryngé récurent, œsophage, corps vertébral, carène
　　　　Ou nodule tumoral distinct dans un autre lobe du même poumon

[37]　Métastases ganglionnaires lymphatiques ipsilatérales : intrapulmonaires, péribronchiques, hilaires
　　　　(y compris envahissement direct)

[38]　Métastases ganglionnaires lymphatiques ipsilatérales : médiastinaux et/ou sous-carinaires

[39]　Métastases ganglionnaires lymphatiques controlatérales
　　　　Métastases ganglionnaires lymphatiques sous-claviculaires

[40]　IIIA : non consensuel : chirurgie et/ou radiothérapie, chimiothérapie adjuvante et/ou néo-adjuvante
　　　　IIIB : radio-chimiothérapie concomitante

[41]　Curage ganglionnaire : scissural, hilaire et médiastinal systématique

[42]　Traitements systémiques : chimiothérapies, incluant les thérapies ciblées

[43]   Doublet de chimiothérapies, à base de sels de platine (cisplatine, carboplatine si contre indication au cisplatine ou patient âgé > 75 ans)
4 à 6 cycles, tous les 21 jours
ex : cisplatine + étoposide/vinorelbine/gemcitabine/docetaxel/pémétrexed (hors carcinome épidermoïde)
Bevacizumab : peut être associé dès la 1re ligne, et poursuivi en 2e ligne (hors carcinome épidermoïde

[44]   Mutation de l'EGFR présente
Également utilisé en situation palliative, 2nde ligne (ou plus)...

[45]   Femme
Asiatique
Non fumeur

[46]   CBP-NPC : Adénocarcinomes

[47]   Inhibiteurs de tyrosine kinase de l'EGFR : gefitinib (Iressa), erlotinib (Tarceva)
Anti-angiogénique : bevacizumab (Avastin*)

[48]   Gefitinib et Erlotinib se prennent par voie ORALE

[49]   THORAX : syndrome cave supérieur
CÉRÉBRAL : métastase symptomatique
OS : métastase symptomatique : douleurs, compression médullaire, épidurite métastatique

[50]   Radio-chimiothérapie
Doublet : sels de platines + étoposide, 6 cycles espacés de 21 jours
Suivi d'une irradiation pan-encéphalique systématique en cas de réponse au traitement initial

[51]   Chimiothérapie : Cisplatine + Étoposide

[52]   SENSIBLES : délai de récidive > 6 mois = 2nde ligne identique
RÉFRACTAIRES : délai de récidive < 3 mois = autre doublet ou traitement palliatif

[53]   Chimiothérapie : doublet à base de sels de platine
6 cycles espacés de 21 jours

[54]   Préventive : points d'abord transpariétaux
Symptomatique : douleurs liées à l'infiltration pleurale

[55]   Talcage sous thoracoscopie
Ou pose d'un cathéter pleural implantable pour drainage

[56] Hématologiques : neutropénie fébrile ++
Digestifs : nausées et vomissements +++

[57] Troubles cutanés (éruption acnéiforme prédominant sur le visage : cyclines, soins locaux) et digestifs (diarrhée)

[58] Hypertension artérielle (risque d'AVC)
Hémorragies
Protéinurie voire syndrome néphrotique

[59] Œsophagite, à 3 semaines, toujours réversible
Péricardite, dermite, toux...

[60] Pneumopathie radique : fièvre, toux, dyspnée
Test diagnostic aux corticoïdes

[61] Fistule bronchique

[62] Paralysie récurentielle
Envahissement tumoral, chirurgie...
= *SONDE NASO-GASTRIQUE – GASTROSTOMIE*

[63] Arrêt TOTAL et DÉFINITIF du tabac

[64] Initialement chimiosensible
Devient progressivement chimiorésistante

[65] Sur une durée minimale de 5 ans
Examen clinique :/3 mois 2 ans puis/6 mois 3 ans
Radio de Thorax Face + Profil :/3 mois 2 ans puis/6 mois 3 ans
TDM thoracique avec coupes hépatiques et surrénaliennes :/6 mois 2 ans puis/12 mois 3 ans

[66] Immuno-histochimie

[67] TDM abdomino pelvien injectée
Mammographie
Examen gynécologique
Gastroscopie et coloscopie

[68] PSA + toucher rectal
Échographie prostatique
Gastroscopie et coloscopie

307. Tumeurs de la prostate

Recommandations et conférence de consensus pour approfondir :

- *Guide ALD de l'HAS du 20/3/2012*
- *Cancer de la prostate : information des hommes avant le dépistage : ANAES 2004*
- *Collège des enseignants*

[1]   70 ans

[2]   Premier cancer chez l'homme : 80 000/an en France
Incidence en augmentation du fait du dépistage (dépistage de masse non recommandé par la HAS)
Seconde cause de mortalité par cancer : 10 000/an
Concerne 1 homme sur 8

[3]   80 %

[4]   Adénocarcinome hormonodépendant (90 %)
Autres : carcinome endocrine...

[5]   Antécédents familiaux
Origine ethnique Afro-antillaise
+/– utilisation de certains pesticides

[6]   45 ans

[7]   Hommes de 50 à 74 ans
Ou 45 ans si facteur de risque
Asymptomatique
Avec une espérance de vie supérieure à 10 ans
La HAS ne recommande pas le dépistage organisé du cancer de la prostate. C'est donc un dépistage individuel, après information du patient des bénéfices et des risques.

[8]   Sur-traitement (coûts de santé, effets secondaires...)
Cancer d'évolution lente, la grande majorité des patients traités d'un cancer de la prostate seraient décédé d'une autre pathologie avant qu'il devienne symptomatique. D'où l'absence de recommandation de dépistage généralisé par la HAS.

[9]   Toucher rectal annuel
Dosage sérique du PSA annuel

[10]   Anomalie de consistance de la prostate au toucher rectal
       Elévation du PSA sérique total
       Examen anatomopathologique des copeaux de résection prostatique d'une
       RTUP

[11]   Antécédents familiaux
       Signes fonctionnels génito-urinaires
       Evaluation de l'espérance de vie

[12]   < 4 ng/mL
       *Recommander au patient de toujours doser le PSA dans le même laboratoire
       en raison des différences significatives selon les kits utilisés.*

[13]   Inhibiteurs de la 5-alpha-réductase, utilisés dans le traitement de l'hypertro-
       phie bénigne de prostate : diminuent de 50 % le PSA

[14]   Adénome de prostate
       Prostatite

[15]   Recontrôler dans le même laboratoire à quelques semaines d'intervalle
       Ou biopsies prostatiques

[16]   Biopsies prostatiques
       Guidées par échographie endorectale
       Multiples (au moins 12)
       Bilatérales et systématisées
       Par voie trans-rectale
       Envoyées en anatomopathologie
       *!!! des biopsies normales n'éliminent pas le diagnostic de cancer, mais rendent
       quasi impobable la présence d'une tumeur avancée*

[17]   Sous anesthésie locale
       Relais des anticoagulants oraux
       ECBU stérile
       Antiobioprophylaxie par fluoroquinolones 48 h
       Lavement rectal
       Information et recueil du consentement éclairé par écrit
       Information de la nécessite de reconsulter en cas douleur et/ou fièvre
       Information sur les risques

[18]   Complications infectieuses : prostatite aiguë iatrogène +++
       Complications hémorragiques : rectorragies, hématurie (caillotage),
       hémospermie

[19]   > 5 % des copeaux de tissus prostatique réséqué lors d'une RTUP

[20]   Clinique +++
       +/– paraclinique

[21]   T2a

[22]   T1c

[23]   M1a : atteinte ganglionnaire non loco-régionale
M1b : métastase osseuse
M1c : toute autre localisation métastatique

[24]   La classification de Gleason est fondée sur le degré de différenciation de la tumeur, coté du grade 1 à 5 (du plus différencié vers le moins différencié)
Le score de Gleason, coté de 2 à 10
Définition HAS 2012 : la somme des deux grades le plus fréquemment représentés
Définition du collège des enseignants d'urologie : la somme du grade de la composante la plus représentée et du grade de la composante la plus indifférenciée

[25]   Cancer localisé sans atteinte d'autres organes y compris vésicules séminales (T3b)

[26]   TNM < T2b N0 M0
Et PSA < 10 ng/ml
Et score histopronostic de Gleason < 7

[27]   TNM = T2b N0 M0
Ou 10 ≤ PSA < 20 ng/ml
Ou score histopronostic de Gleason = 7

[28]   T2b < TNM < T3b
Ou PSA > 20 ng/ml
Ou score histopronostic de Gleason > 7

[29]   Pas de bilan d'extension

[30]   IRM prostatique
Scintigraphie osseuse
TDM abdomino-pelvien injecté

[31]   Cancer localisé : risque intermédiaire et haut de D'AMICO
Cancer localement avancé
Cancer métastatique

[32]   Prostatectomie totale +/– curage ganglionnaire
Radiothérapie externe conformationnelle
Curiethérapie interstitielle (grains d'iode radioactif)
Traitements différés (« surveillance active » ou « abstention surveillance clinique »)

[33]   Prostatectomie totale + curage ganglionnaire recommandé
        Radiothérapie externe conformationnelle +/– hormonothérapie 6 mois
        Traitement différé : abstention surveillance clinique
        Exceptionnellement : curiethérapie

[34]   Prostatectomie totale + curage ganglionnaire
        Radiothérapie externe conformationnelle + hormonothérapie prolongée
        (2-3 ans)

[35]   Radiothérapie externe conformationnelle + hormonothérapie prolongée
        (2-3 ans)

[36]   Castration : hormonothérapie/pulpectomie
        +/– radiothérapie externe si N+ M0

[37]   Agonistes ou Antagonistes LHRH
        Anti-androgènes, 15 jours avant – 15 jours après, contre l'effet « flare up »
        (pic de testostérone lors de l'introduction des agonistes LHRH)
        La castration chirurgicale par pulpectomie est une alternative
        L'abiraterone (Zytiga) n'est recommandée qu'en 2e ligne en association avec
        l'hormonothérapie classique.

[38]   Testostéronémie : doit être effondrée (observance)

[39]   Os +++
        Foie

[40]   Chimiothérapie (docétaxel = Taxotere*)
        Indiscutable si symptomatique, sinon selon RCP & patient

[41]   Cabazitaxel

[42]   Bisphosphonates
        Radiothérapie externe
        Radiothérapie métabolique
        Neurochirurgie : cimentoplastie (pafois difficile en raison du caractère ostéo-
        condensant des lésions)
        Corticothérapie
        Antalgiques

[43]   Patient asymptomatique + tumeur localisée à faible risque selon D'AMICO
        (voire risque intermédiaire)
        L'abstention surveillance clinique s'adresse particulièrement aux patients âgés
        ou avec une espérance de vie inférieure à 10 ans
        Importance de l'information du patient pour recueil du consentement éclairé

[44] En cas de signe évolutif : toucher rectal, élévation du PSA, biopsies positives
Traitement curatif, chez un patient avec une espérance de vie ≥ 10 ans

[45] Calcémie

[46] Lorsque la tumeur devient symptomatique
Traitement palliatif : hormonothérapie, chez un patient dont l'espérance de vie est ≤ 10 ans

[47] Terrain : état général (PS)
Stade TNM
Taux de PSA (> 20 ng/mL évoque des métastases)
Score histo-pronostic de Gleason
Hormonosensibilité

[48] 1re visite entre 6 semaines à 3 mois
Puis tous les 6 mois pendant 3 à 5 ans
Puis annuellement pendant 15 ans

[49] Toucher rectal + PSA
Le toucher rectal est inutile après prostatectomie total avec PSA normaux

[50] Créatininémie
Phosphatases alcalines
Calcémie
Tous les 3 à 6 mois

[51] PSA > 0,2 ng/mL
Le PSA doit être indétectable à 4-6 semaines de la chirurgie

[52] PSA > nadir + 2 ng/mL
Nadir en général atteint avant 36 mois

[53] PSA > 1,5 fois le nadir

[54] Recontrôler le PSA à 3 mois
Pour certifier l'anomalie et estimer le temps de doublement

[55] Recontrôler le PSA total à 15 jours

[56] Incontinence urinaire (souvent résolutive)
Dysfonction érectile
Anéjaculation

[57] Sténose de l'anastomose vésico-urétrale

[58] Troubles ano-rectaux inflammatoires
Troubles urinaires : dysurie/pollakiurie/impériosités

[59]　Rectite radique
　　　Cystite radique
　　　Dysfonction érectile
　　　Incontinence urinaire

[60]　Baisse de la libido
　　　Dysfonction érectile
　　　Bouffées de chaleur
　　　Prise de poids

[61]　Anémie
　　　Ostéoporose
　　　Augmentation du risque cardiovasculaire
　　　Insulinorésistance

[62]　CIVD : fibrinogène effondré, TP abaissé
　　　Myélotoxicité de la chimiothérapie
　　　Envahissement médullaire : corticothérapie

[63]　Imagerie (échographie ou TDM) des voies urinaire : recherche d'une dilatation
　　　des cavités pyélocaliciennes, par un envahissement péri-urétéral

308. Tumeurs du rein

Recommandations et conférence de consensus pour approfondir :
- *Guide ALD de l'HAS du 6/12/2010*
- *Collège des enseignants*

[1]　Consultation d'oncogénétique
　　　Recherche d'une maladie héréditaire prédisposant au cancer du rein
　　　Après recueil du consentement éclairé, écrit et signé

[2]　Kyste simple du rein, unique ou multiple, bénin

[3]　Fortuit 60 % : échographie abdominale ou TDM abdominal

[4]　Hématurie, typiquement totale indolore spontanée récidivante
　　　Douleur du flanc
　　　Palpation d'une masse rénale
　　　Souvent longtemps asymptomatique

[5]　Varicocèle du testicule gauche

[6]　Varicocèle du testicule droit +/– gauche
　　　Œdème des membres inférieurs

[7]   Hypercalcémie (PTHrp)
HTA résistante (rénine)
Cholestase anictérique = syndrome de Stauffer
Polyglobulie (EPO)
Élévation de la VS
Syndrome de Cushing

[8]   Dialyse > 3 ans (tubulopapillaire)
Obésité
Tabagisme
Forme familiale héréditaire (maladie de von Hippel Lindau...)
Suspectés : HTA, cadmium, amiante

[9]   TDM abdominale injectée

[10]   Non injecté
Temps artériel = cortical
Temps veineux = parenchymateux
Temps excrétoire

[11]   TDM thoracique
+/– imagerie cérébrale et scintigraphie osseuse si symptomatique

[12]   Contre-indication à la TDM abdominale injectée (insuffisance rénale...)
Évaluation des rapports veineux (envahissement de la veine cave inférieure...)

[13]   Carcinome à cellules claires (85 %)
Carcinome tubulo-papillaire
Carcinome chromophobe
Carcinome de Bellini
Carcinome indifférencié
L'oncocytome est bénin

[14]   Hémorragie : rétro-péritonéale, dans les voies excrétrices

[15]   Anatomopathologie de la pièce opératoire

[16]   T1 ≤ 7 cm
T2 > 7 cm
Toujours ≤ dans les TNM, ils sont optimistes

[17]   Suspicion de tumeur secondaire (métastases, lymphome...)
Suspicion de tumeur non extipable
Suspicion de non opérabilité
Masse nécessitant un traitement mini-invasif : radiofréquence...
Fonction rénale à préserver (dialyse, rein unique, tumeurs bilatérales...)
Jeune adulte (suspicion de néphroblastome)

[18] Grade nucléaire de Fuhrman, de 1 à 4
Selon la taille du noyau + nucléole
Plus il est élevé plus le pronostic est mauvais

[19] Néphrectomie partielle ou élargie
+/− surrénalectomie, curage ganglionnaire
Cancer généralement non radiosensible et non chimiosensible aux chimiothérapies « classiques » cytostatiques

[20] < 4 cm : néphrectomie partielle
≥ 4 cm : néphrectomie élargie

[21] État général : PS
Hémoglobine : polyglobulie/anémie ?
Calcémie corrigée : élevée ?
Taux sérique de LDH : élevé ?
Intervalle entre le diagnostic et le traitement
Nombre de sites métastatiques

[22] Néphrectomie : en association à l'immunothérapie ++
Métastasectomie

[23] Thérapies ciblées
Immunothérapie : cytokines (interféron-a, interleukine IL2)

[24] Anticorps monoclonal anti-angiogénique, ciblant le VGEF : bevacizumab (Avastin*)
Inhibiteur de la tyrosine kinase : sunitib, sorafenib, pazopanib
Inhibiteur de la sérine/thréonine kinase (mTOR) : temsirolimus et everolimus

[25] Métastases cérébrales
Métastases osseuses
Les seules indications sont palliatives

[26] Poumons (75 %)
Os, foie, cerveau ensuite

[27] Examen clinique
Fonction rénale
TDM thoraco-abdominale injectée

[28] Hémangiomes cérébelleux et rétiniens
Cancer du pancréas
Phéochromocytome !!!! rechercher en préopératoire ++

[29] Sclérose tubéreuse de Bourneville
Maladie de Sturge-Webber

309. Tumeurs du sein

[1]   Plus des 2 tiers

[2]   Apprécier le potentiel évolutif/vitesse d'évolution
        Prise d'œstro-progestatif/port de stérilet/THS
        Antécédents familiaux, évoquant BRCA 1 ou 2 (K sein/ovaires)

[3]   Sexe féminin (ce cancer existe chez l'homme : 1 %, BRCA ++)
        Antécédents familiaux
        Pathologie mammaire (cf.)
        Histoire reproductive et hormonale (cf.)
        Autres (irradiation thoracique, grande taille, surpoids après la ménopause, consommation d'alcool excessive, diabète non insulinodépendant)

[4]   Mutation BRCA 1 ou 2
        Syndromes génétiques
        Histoire familiale significative

[5]   Antécédent personnel de cancer du sein
        Carcinome in situ
        Lésions bénignes à risque
        Densité mammaire importante

[6]   Puberté précoce (≤ 12 ans)
        Ménopause tardive (≥ 55 ans)
        Âge tardif de la première grossesse (≥ 35 ans) +++
        Apport d'œstrogènes exogènes (contraception OP, THM)

[7] Manœuvre de Tillaux : abduction contrariée

[8] Mammographie
Tous les 2 ans
Bilatérale et symétrique
2 incidences par sein : face + oblique externe, +/– profil, clichés centrés
Lues 2 fois, par 2 radiologues spécialisés
si nécessaire complétée par une échographie

[9] ACR 4 et 5
Rq : ACR 3 = suspect : répéter mammographie à 6 mois

[10] En cas de tumeur visualisée à la mammographie mais non palpable
Écho/radio guidée

[11] Cancer du sein inflammatoire
= chimiothérapie néo-adjuvante

[12] En cas de tumeur palpable

[13] ≤ 2 cm (clinique)

[14] 2 cm < tumeur ≤ 5 cm (clinique)

[15] Tumeur > 5 cm (clinique)

[16] 1 à 3 ganglions axillaires homolatéraux envahis (clinique)
ou ganglion sentinelle positif

[17] 4 à 9 ganglions axillaires homolatéraux envahis
ou chaine mammaire interne homolatérale envahie sans envahissement axillaire

[18] ≥ 10 ganglions axillaires homolatéraux envahis
ou chaines axillaires + mammaires homolatérales envahies
ou adénopathie sus-claviculaire homolatérale

[19] Extension à la paroi thoracique (T4a)
Œdème/peau d'orange (T4b)
Ulcération (T4b)
Nodule de perméation (T4b)
Sein inflammatoire (T4d) = CONTRE INDICATION à la chirurgie

[20] Chimiothérapie, dont thérapies ciblées
Hormonothérapie

[21] Tumeur inflammatoire (T4d) +++
Cancer inopérable en vue d'une réduction tumorale
Carcinome infiltrant volumineux (% RCP)

Chirurgie conservatrice non réalisable + désir chirurgie conservatrice de la patiente
Selon les critères prédictifs de réponse (HER2, statut récepteurs hormonaux) et les critères pronostiques associés

[22] Aucun
La confirmation diagnostique est anatomopathologique
Seule la mammographie +/– échographie doit être réalisée
Les marqueurs tumoraux ne doivent pas être systématiques

[23] Chirurgie : conservatrice (mastectomie partielle) ou non conservatrice (mastectomie totale)
Radiothérapie
Chimiothérapies, incluant thérapies ciblées
Hormonothérapie
Rq : visée curative/palliative, selon RCP, formalisée dans le PPS

[24] Toujours privilégier partielle = traitement CONSERVATEUR
Selon possibilités carcinologiques : exérèse en marges saines
Rq : mastectomie partielle = radiothérapie adjuvante systématique, donc marqueurs radio-opaques mis en places lors de la chirurgie

[25] 8 à 10 ganglions

[26] Confirmer la malignité = visée diagnostique
Établir le stade TNM de la tumeur
Critères d'évaluation pré-thérapeutiques et du pronostic :
– type histologique
– composante in situ
– taille
– grade histopronostic de Ellis-Elston/Scarf Bloom Richardson
– berges : R0 R1 R2
– embols vasculaires péritumoraux
– caractère uni ou multifocal
– nombre de ganglions prélevés
– nombre de ganglions envahis
– récepteurs hormonaux
– niveau d'expression des récepteurs HER2

[27] Une évaluation gériatrique

[28] Après radiothérapie et/ou chimiothérapie
Sinon le résultat esthétique sera modifié après le traitement adjuvant

[29] Anthracyclines (adriamycine, doxorubicine, épirubicine)
Taxanes (docétaxel = Taxotere*, paclitaxel = Taxol*)
Cyclophosphamide = Endoxan*

[30] Irradiation mammaire
Obligatoire, repérage clinique et scannographique
Référence = 50 Gy en 25 doses de 2 Gy sur 5 semaines
+/– dose de « surimpression » si facteurs de mauvais pronostic

[31] Irradiation de la paroi thoracique

[32] Dans un délai MAXIMUM de 12 semaines après la chirurgie, en l'absence de chimiothérapie
Un délai de cicatrisation post-opératoire est à respecter

[33] Tout carcinome invasif (>= T1)

[34] Siège
Côté
Unique ou multiple
Forme/limites
Dimensions
Consistance
Sensibilité
Connexions (peau, mamelon : Paget, grand pectoral)

[35] Ganglion sentinelle (marqueur radioactif/coloré)
Curage ganglionnaire (= complication : lymphœdème du membre supérieur)

[36] Non, très rarement indiquée
Majore le risque de lymphœdème/gros bras

[37] Toute tumeur hormonosensible

[38] Tout facteur de mauvais pronostic (cf.)

[39] Avant en général
La radiothérapie doit ensuite être réalisée dans un délai MAXIMAL de 6 mois après la fin de la chirurgie, et dans les 5 semaines suivant la fin de la chimiothérapie.

[40] Surexpression de HER2
Présence de récepteurs hormonaux

[41] Âge
Taille tumorale
Sein inflammatoire
Adénopathies suspectes
Signes de métastases

[42] Caractère invasif
Type anatomopathologique
Grade histopronostic SBR (Scarff Bloom & Richardson) ou EE (Ellis & Elston)

[43] Dans les 3 à 6 semaines post opératoires

[44] Examen clinique (température, poids, taille, surface corporelle, état général PS, examen de la voie d'abord veineuse, tension artérielle, examen cutané, évaluation de la tolérance aux autres cures)
NFS : l'hémogramme tient compte de l'administration de facteurs de croissance de l'hématopoïèse
Bilirubinémie, Créatininémie et calcul de la clairance rénale

[45] Anthracyclines (cardiotoxique, tout comme l'Herceptin)

[46] 5 ans au minimum

[47] SERM : Modulateur Sélectifs des Récepteurs Estrogènes : Tamoxifène
Ou
Suppression ovarienne directe : analogues LH-RH, chirurgie, irradiation

[48] Anti-aromatase (inhibe l'aromatisation des androgènes surrénaliens en œstrogènes au niveau de la graisse périphérique)
Ou
SERM (Tamoxifène), mais moins efficace, en cas de contre-indication ou d'intolérance aux anti-aromatases

[49] SERMS
Contre indication aux anti-aromatases, et pas de suppression ovarienne...

[50] Après la chimiothérapie et la radiothérapie habituellement

[51] Toute tumeur avec sur-expression de HER2
– +++ en immuno- histochimie
– ++ en immuno-histochimie avec surexpression confirmée en FISH
Toujours en association à une chimiothérapie ++

[52] Non : pas de chimiothérapie, pas d'hormonothérapie
Radiothérapie seulement en cas de mastectomie partielle

[53] Anthracyclines (toxicité cumulative)
Traztuzumab : Herceptin* (réversible)
= mesure de la FEVG dans le bilan pré-thérapeutique (échographique ou isotopique)

[54] Arthralgies/myalgies

[55] Ostéoporose
Ostéo-densitométrie annuelle

[56] MVTE : thrombose veineuse profonde, embolie pulmonaire
Cancer de l'utérus : adénocarcinome de l'endomètre
Surveillance clinique : mollets, douleur thoracique, dyspnée...
Surveillance paraclinique : échographie pelvienne sus-pubienne annuelle
(dépistage individuel du cancer de l'endomètre)

[57] Os

[58] Chimiothérapie, dont thérapies ciblées
Hormonothérapie si hormonosensible
Radiothérapie cérébrale et/ou osseuse selon localisations métastatiques
Chirurgie des métastases (os, cérébrale, hépatique, pulmonaire)
Selon la tumeur, l'état général de la patiente, les traitements reçus, la tolérance...
Toujours encourager la participation à des essais cliniques
Le but : amélioration de la qualité de vie, stabilisation de la maladie, voire rémissions prolongées (parfois plusieurs décennies)

[59] Une récidive loco-régionale de la tumeur, comprimant et/ou envahissant les canaux lymphatiques

[60] Traitement locorégional : chirurgie et/ou radiothérapie

[61] Ponction lombaire avec examen cytologique
Recherche d'une méningite carcinomateuse

[62] Examen clinique (bi-annuel 5 ans, puis annuel à vie)
Mammographie (annuelle à vie) : unilatérale si mastectomie totale, bilatérale et symétrique si mastectomie partielle
Le programme de suivi est réévalué tous les 5 ans
On est ici dans le cadre du dépistage individuel, et non plus organisé
Les autres examens ne sont pas systématiques, et ne seront réalisés qu'en cas de point d'appel clinique et/ou à la mammographie
Un dosage des marqueurs n'est pas recommandé dans le suivi

[63] Acquisition et maintient de compétences d'auto-soins
Acquisition et maintient de compétences d'adaptation

[64] Éviter le port de charges lourdes
Éviter prises de sang, injections, prises de tension sur ce bras
Éviter les mouvements répétitifs de longue durée
Mettre des gants pour jardiner
En cas de blessure, coupure... désinfecter immédiatement

[65] Hormonothérapie exclusive, à visée palliative, par anti-aromatases ou SERM si intolérance, voire suppression ovarienne directe

[66] Fibrose cutanée
Télangiectasies

[67] Port d'un manchon de compression quotidiennement du matin jusqu'au soir
Drainage lymphatique manuel (kinésithérapeute)

[68] Adénofibrome
Tumeur phyllode
Hamartome
Cytostéatonécrose

[69] Tumeurs phyllode
de grades I à IV
Bénigne (ne métastase pas) mais parfois de grande taille +/– nécrose centrale

[70] Chirurgie : exérèse large avec marge de sécurité de 1 à 2 cm

[71] Après chirurgie : examen clinique + mammographie + échographie durant 5 ans
15 % de récidive

[72] Adénofibrome

[73] Non caractéristique
Douleur
Évolutivité
Préjudice esthétique
Souhait de la patiente

[74] Surveillance clinique annuelle
Avec échographie
+ microbiopsies selon contexte (> 30 ans, femme à risque)

[75] Hamartome

[76] Cytostéatonécrose

[77] Grossesse
Allaitement récent
Prise médicamenteuse
Tumeur hypophysaire à prolactine

[78] Mammographie (lésion bénigne/maligne ?)
Échographie mammaire
Galactographie : opacification rétrograde
Cytologie : nettoyage, recueil, séchage, fixation sur lame

[79]   Carcinome canalaire intra galactophorique

[80]   Pyramidectomie : exérèse d'une pyramide de sein à base pectorale par voie péri-aréolaire

[81]   Mastopathie fibro-kystique
         Kystes + hyperplasies épithéliales de type canalaire

[82]   Hyper-œstrogénie
         Provoque fibrose, kystes et mastodontes prémenstruelles puis prolongées

[83]   Mastodynies cycliques, à partir de l'évolution
         Sédation +/– complète lors des règles
         Quadrant supéro-externe avec irradiation vers le membre supérieur
         Parfois douleurs plus prolongées

[84]   Opacités kystiques
         Microcalcifications en rosace

[85]   Informer, dédramatiser, lutter contre la cancérophobie
         Hygiène mammaire : bon soutient gorge ++ lors du sport
         Règles hygiéno-diététiques : diminuer les excitants (tabac, café, alcool), bien dormir, régime hypocalorique
         Traitements anti-œstrogéniques : contraception œstro-progestative, progestatifs +++

310. Tumeurs du testicule

Recommandations et conférence de consensus pour approfondir :
- *Guide ALD de l'HAS du 10/6/2011*
- *Collège des enseignants*

[1]   Rare : 1 % des tumeurs de l'homme
        1er cancer de l'homme entre 20 et 35 ans

[2]   Persistance du sillon épididymo-testiculaire

[3]   Sécrétion d'HCG par la tumeur
        Choriocarcinomes, tumeurs mixtes

[4]   Cordon spermatique
        Adénopathie de Troisier

[5]   Cryptorchidie : risque relatif x40
        Antécédent personnel de cancer du testicule controlatéral

[6] Atrophie testiculaire (infectieuse, traumatique…)
Infertilité
Syndrome de Klinefelter (XXY)

[7] Lomboaortique

[8] Poumons
Foie
Cerveau

[9] Une échographie testiculaire bilatérale et comparative
EN URGENCE

[10] Échographie testiculaire bilatérale
Marqueurs tumoraux
TDM thoraco-abdomino-pelvienne injectée
Imagerie cérébrale (IRM au mieux)
Contre indication ABSOLUE à la biopsie
Les marqueurs sont réalisés si l'échographie confirme la suspicion de cancer
du testicule
La TDM réalise le bilan d'extension, et ne doit pas retarder la chirurgie

[11] hCG totales
Alpha-fœtoprotéine
LDH

[12] Aide au diagnostic
Oriente vers un type anatomopathologique
Suivi (dès 3 semaines post orchidectomie)

[13] Masse vasculaire intratesticulaire, unique ou multiple, hypo-échogène ou
hétérogène

[14] Examen anatomopathologique de la pièce opératoire

[15] 95 % sont des tumeurs germinales, séminomateuses ou non séminomateuses

[16] Le séminome typique

[17] Carcinome embryonnaire

[18] Prélèvement et cryoconservation de sperme après prélèvement au
CECOS
Avant tout traitement
Après information du patient

[19] Orchidectomie totale
Par voie inguinale
Après ligature première des vaisseaux spermatiques

[20] BEP : Bléomycine Etoposide Cisplatine
5 jours de chimiothérapie toutes les 3 semaines, 3 ou 4 cycles

[21] Surveillance
Chimiothérapie (à base de cisplatine)
Radiothérapie (si séminomateuse)
Curage ganglionnaire

[22] Radiographie de thorax
Épreuves Fonctionnelles Respiratoires
& *suivi ++ : risque de fibrose pulmonaire*

[23] L'imagerie (TDM)
Les marqueurs (hCG totales/LDH/alpha-fœtoprotéine)

[24] 98-99 %

[25] 70 %

[26] Auto-palpation du testicule restant
Risque de 2nd cancer

[27] Métastases extra-pulmonaires (mauvais pronostic)
Alpha-fœtoprotéine (< 1 000 → 10 000 ng/mL)
LDH (< 1,5 N → 10 N)
HCG (< 5 000 → 50 000 UI/L)
+ TGNS médiastinale primitive (mauvais pronostic)

311. Tumeurs vésicales

Recommandations et conférence de consensus pour approfondir :

- *Guide ALD de l'HAS du 23/7/2010*
- *Collège des enseignants*

[1] 80 % d'hommes
Âge moyen au diagnostic : 70 ans

[2] Hématurie, macroscopique ou microscopique (BU)
80 % des cancers découverts par une hématurie macroscopique
Typiquement terminale et indolore, mais toute hématurie doit faire réliser des investigations

[3] Tabagisme
Donc arrêt du tabac +++

[4]   Amines aromatiques, principalement des colorants (peinture, textile…)
      Goudrons

[5]   Cyclophosphamide (prévention = hydratation + Mesna*)
      Irradiation pelvienne
      Bilharziose urinaire

[6]   La multifocalité : urothélium des uretères, de la vessie
      Uro-IRM en cas d'allergie au produit de contraste iodé

[7]   Cystoscopie, en consultation, après vérification de la stérilité des urines
      (ECBU)
      Échographie vésicale et de l'appareil urinaire par voie suspubienne
      Cytologie urinaire : recherche de cellules tumorales (la normalité n'exclut
      pas le diagnostic +++)
      Uro-TDM pour le bilan d'extension

[8]   Nombre ++ : multifocalité
      Taille
      Aspect
      Topographie (par rapports aux méats urétéraux et orifice de l'urètre)
      Le tout sur un shéma daté signé, comme toujours en oncologie

[9]   Diagnostic de cancer = histologie
      Examen anatomopathologique des copeaux de résection d'une résection
      trans urétrale de vessie (RTUV)

[10] Rapports de la tumeur à la musculeuse
      En cas d'invasion, il conclura > T2, le stade sera précisé sur la pièce
      opératoire.

[11] Infiltration de la musculeuse
      2 types de tumeurs : Non infiltrant le muscle = TVNIM (< T2)/ Infiltrantes
      = TVIM (T2 et +)

[12] TVNIM = 80 % de survie à 5 ans
      TVIM = < 50 % de survie à 5 ans

[13] Carcinome urothélial non infiltrant pour 70 à 80 %

[14] TDM thoraco-abdomino-pelvienne avec injection
      Ou IRM abdomino-pelvienne en cas d'allergie
      Retentissement sur le haut appareil urinaire, envahissement de la graisse
      péri-vésicale, organes de voisinage, adénopathies, métastases…
      Peut être couplée à l'uro-TDM dans ce cas

[15]   Traitement curatif conservateur
       Réséction Trans Urétrale de Vessie (RTUV)
       Profonde pour permettre l'analyse de la musculeuse
       Envoi des copeaux de résection en anatomopathologie
       Réévaluation endoscopique et histologique à 4-6 semaines
       Suivi régulier ++

[16]   Instillations endovésicales hebdomadaires (mitomycine C ou BCG)
       Contrôle systématique de la stérilité des urines : ECBU
       Rq : une instillation post-opératoire précoce de mitomycine C est quasi
       systématique

[17]   Cystectomie totale (cysto-prostatectomie chez l'homme)
       Avec envoi en anatomopathologie pour préciser le TNM > T2
       Et dérivation urinaire, interne ou externe, par entéro-cystoplastie (plastie
       d'une vessie à partir d'intestin) ou Bricker (abouchement des uretères à une
       portion d'intestin qui sera mise à la peau)

[18]   Radiothérapie vésicale conformationnelle 3D +/– chimiothérapie

[19]   Polychimiothérapie à base de cisplatine

[20]   Chimiothérapie : cisplatine

[21]   Récidive : 50 à 70 % des patients, dont 20 % infiltrent le muscle

[22]   Recherche d'une surexpression de HER2, pour traitement par une thérapie
       ciblée (Herceptin*)

[23]   Cystoscopie
       À 3, 6, 12 mois puis annuellement

[24]   Aucun autre si risque faible de récidive
       Cytologie urinaire si risque intermédiaire ou élevé de récidive
       Uro-TDM si risque intermédiaire ou élevé de récidive

[25]   Minimum 5 ans
       À vie si persistance de l'intoxication tabagique

[26]   Arrêt TOTAL et DÉFINITIF du tabac

[27]   Ganglions
       Poumons

Imagerie

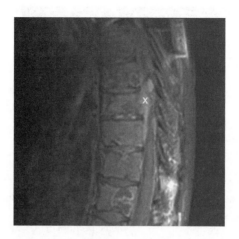

IMAGE 01 : Epidurite T9, en IRM après injection de gadolinium : prise de contraste avec compression médullaire. Atteinte métastatique osseuse associée.

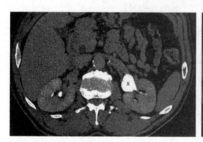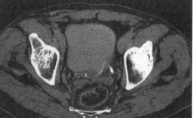

IMAGE 02 : Dilatation pyélocalicienne gauche au temps excrétoire sur uro-scanner. Sur la coupe pelvienne, toujours au temps excrétoire, dilatation urétérale gauche en amont d'une image tissulaire d'épaississment vésical : carcinome urothélial de vessie. Très à la mode, item récent, cancer fréquent du tabagique (une lésion pulmonaire unique associée doit par exemple faire discuter un second primitif pulmonaire, car 2 cancers localisés valent mieux qu'un métastatique). Le tableau : hématurie, la complication classique : dilatation d'un rein.

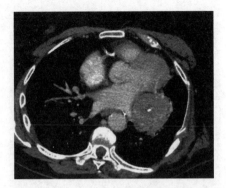

IMAGE 03 : Masse bronchique proximale, hétérogène, nécrotique. Chez un patient tabagique, le caractère proximal fait évoquer un carcinome épidermoïde. Risque d'hémoptysie massive, contre indication aux anti-angiogéniques.

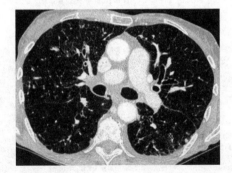

IMAGE 04 : Lymphangite carcinomateuse : épaississement des scepta, nodules, caractère diffus et bilatéral. Cliniquement : dyspnée. 3 principales étiologies : carcinome bronchique, gastrique, et le sein. Mais tous peuvent en donner. Grand diagnostic différentiel en oncologie : la pneumocystose : tout patient en cours de chimiothérapie est immunodéprimé, lymphopénique, et souvent reçoit des corticoïdes au long cours. Méfiance !

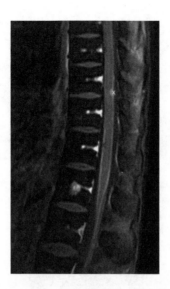

IMAGE 05 : Méningite carcinomateuse avec nodule de carcinose au niveau médullaire. La méningite carcinomateuse est une complication rare mais grave de beaucoup de cancers. Clinique : un peu de tout (ralentissement idéo-moteur, déficits sensitifs et/ou moteurs avec des topographies anarchiques, syndrome méningé...). Le diagnostic est évoqué par l'IRM (prise de contraste des méninges, en général au niveau encéphalique, avec épaississements localisés. Il est confirmé par 3 ponctions lombaires 3 jours de suite, avec une hyperprotéinorachie évocatrice et surtout des cellules tumorales à l'examen cytologique. La médiane de survie est de l'ordre de 2 mois après le diagnostic.

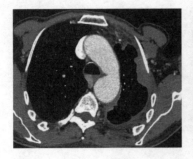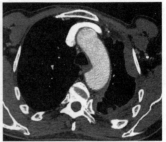

IMAGE 06 et 06bis : Mésothéliome pleural : plèvre mammelonnée, avec rétrécissement d'un hémithorax. Ne pas oublier de rechercher une exposition professionnelle
pour les indemnisations par le FIVA.

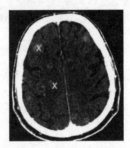

IMAGE 07 : Métastase cérébrale avec œdème péritumoral sur un scanner cérébral injecté. A noter l'hématome des parties molles secondaire à une crise
convulsive.

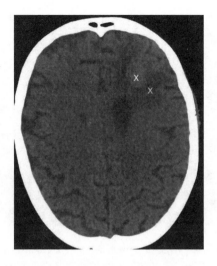

IMAGE 07bis : Lacher de ballon cérébral sur un scanner injecté, dans un contexte de carcinome bronchique à petites cellules.

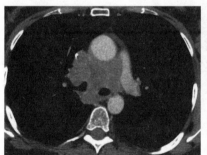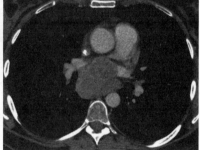

IMAGE 08 et 08bis : Adénopathies métastatiques d'un carcinome bronchique à petites cellules. Localisation classique de ce cancer, avec fréquemment un syndrome cave supérieur au moment du diagnostic, qui régresse rapidement dès la première cure de chimiothérapie. Ne pas oublier que l'irradiation pan-encéphalique cérébrale diminue le risque de récidive cérébrale après la chimiothérapie, et augmente la survie globale.

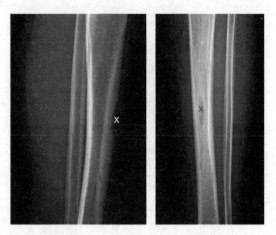

IMAGE 09 et 09bis : Lésion osseuse métastatique au niveau du tiers moyen du tibia. Ne pas oublier la calcémie en urgence, évoquer le risque fracturaire (avis orthopédique), la recherche d'autres localisations (scintigraphie osseuse) et envisager la prise en charge des symptômes (antalgiques, radiothérapie antalgique…) et générale (traitement antirésorptif osseux).

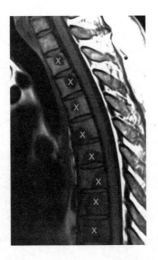

IMAGE 10 : Lésions osseuses métastatiques multi-étagées du rachis, sans épidurite ni compression médullaire. En plus des éléments cités en commentaire de l'image 09, des lésions du rachis nécessitent un avis neurochirurgical.

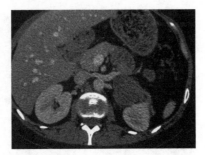

IMAGE 11 : Lésion métastatique surrénalienne. Le primitif à évoquer : cancer du poumon. En cas de lésions bilatérales, chez un patient asthénique, en hyponatrémie, constipé, l'insuffisance surrénale est une urgence médicale.

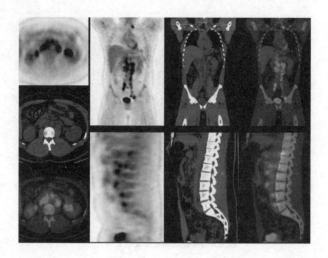

IMAGE 12 : PETscanner révélant des adénopathies métastatiques rétro-péritonéales, lombo-aortiques, inter aortico caves. Classique dans un contexte de tumeur germinale du testicule (le pet-scanner n'est utile que dans le séminome pur).

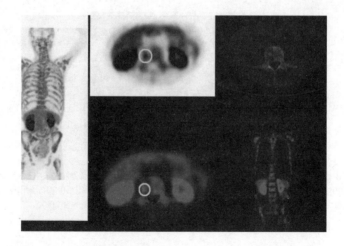

IMAGE 13 : PETscanner : lésion osseuse métastatique rachidienne.

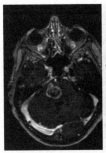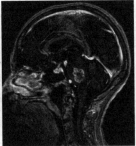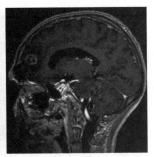

IMAGE 14 et 14bis et 14ter : IRM cérébrale injectée révélant une métastase logée dans le tronc cérébral. Le contexte était une hypertension intra-cranienne, avec une hémiplégie d'apparition récente. En l'absence de possibilité de neurochirurgie, l'urgence est à la radiothérapie après instauration d'une corticothérapie à fortes doses. Etait associée une lésion frontale.

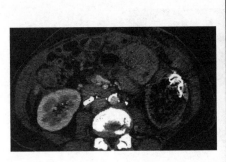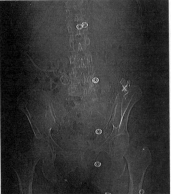

IMAGE 15 et 15bis : Contexte de sepsis avec douleurs abdominales à 1 mois d'une chirurgie d'un cancer de l'endomètre, après 1re cure de chimiothérapie adjuvante. Malgré un compte rendu radiologique normal, il s'agit d'un textilome (oubli de compresse).

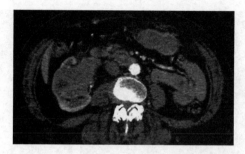

IMAGE 16 : Masse du rein droit, à point de départ pyélique envahissant le hile et le parenchyme rénal. Evoquer bien sur un cancer du rein, mais également un carcinome urothélial du bassinet (c'est le cas ici dans un contexte d'hématurie). Son traitement est bien différent. Cette localisation moins fréquente des carcinomes urothéliaux doit faire rechercher à l'interrogatoire des antécédents familiaux de cancers du spectre du syndrome de Lynch (endomètre, colo-rectal, estomac...)

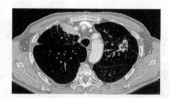

IMAGE 17 : Masse bronchique spiculée, distale : la localisation évoque plus un adénocarcinome. L'atteinte pleurale est visible.

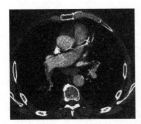 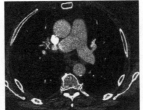 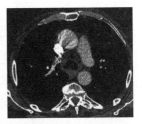

IMAGE 18 et 18bis et 18ter : Embolie pulmonaire proximale bilatérale, avec signes radiologiques d'HTAP (tronc de l'artère pulmonaire dilaté). Grand classique en oncologie. L'anticoagulation se fait par HBPM sous cutanée en une injection (ou deux selon les molécules) par jour, sans relai par AVK, au long cours (minimum 6 mois) selon les recommandations actuelles.